L'indomptable Gilles Proulx à la conquête du monde

Souvenirs de voyage

Les Éditions TRANSCONTINENTAL inc.

1253, rue de Condé

Montréal (Québec)

H3K 2E4

Tél. : (514) 925-4993

(888) 933-9884

Données de catalogage avant publication (Canada)

Proulx, Gilles, 1940-

L'indomptable Gilles Proulx à la conquête du monde : souvenirs de voyage

ISBN 2-89472-045-9

1. Proulx, Gilles, 1940- -Voyages. 2. Voyages autour du monde-Ouvrages illustrés. I. Titre

G466.P76 1997   910.4'1   C97-941104-1

Collaboration aux textes et coordination de la production : JEAN PARÉ

Recherche et révision : LOUISE DUFOUR

Correction : LYNE M. ROY

Mise en pages et conception de la page couverture : ORANGETANGO

Dépôt légal — 4e trimestre 1997

Bibliothèque nationale du Québec

Bibliothèque nationale du Canada

ISBN 2-89472-045-9

L'indomptable Gilles Proulx
à la conquête du monde

Souvenirs de voyage

Il aime les femmes.

Il a un faible pour l'histoire.

Il est passionné de photographie.

Gilles Proulx

Les Éditions
TRANSCONTINENTAL inc.

Introduction

C'est avec grand plaisir

que je vous présente une sorte d'album souvenirs qui va vous faire découvrir une autre facette de Gilles Proulx. Dans ce livre, pas question de vous raconter en long et en large le Gilles Proulx que vous connaissez déjà bien : celui qui occupe les ondes à l'heure du midi depuis maintenant bien des lunes, celui que dénoncent les grands bonzes de l'information, celui qui exige des comptes ou administre des raclées aux personnages publics... qui sont nombreux à être devenus ses têtes de Turc ! ¶ Non, non, ce n'est pas ce Gilles Proulx là que je veux vous faire mieux connaître. C'est plutôt celui qui, en plus de rêver de faire de la radio, aurait aimé devenir — tenez-vous bien — reporter photographe ! N'est-ce pas qu'elle est bien bonne ?

C'est à 19 ans, en 1959, que j'ai commencé timidement ma «carrière» de photographe de noces au Studio Larose, à Verdun. Mon professeur d'alors, Yvan Goulet, m'incitait à «toujours mettre mon sujet en évidence plutôt qu'au milieu et loin de mon viseur». ⊙ De ce côté, j'étais un bon élève. Mais je compte évidemment mon lot d'expériences mémorables. Vous savez, ce genre de catastrophe qui marque à jamais une vie professionnelle... Par exemple, je ne peux oublier cette fameuse fois — c'était à mes tout débuts, quand même! — où l'on me confia une première mission comme photographe de mariage. Ah! que les jeunes tourtereaux étaient beaux à voir sur le parvis de l'église Notre-Dame-des-Sept-Douleurs, s'échangeant les vœux, s'embrassant dans leur MG cabriolet, ou coupant leur succulent gâteau... ⊙ Malheureusement, je pris 12 photos sur le même négatif, oubliant de tirer la planche de mon bon vieux Kodak carré, semblable à ceux qu'on voyait dans les films des années 50. Je m'en tirai toutefois plus ou moins indemne : je ne revis jamais le couple de tourtereaux, mais monsieur Larose, lui, me donna sept douloureuses leçons et un chapelet à réciter en l'église Notre-Dame-des-Sept-Douleurs!

Je vous disais donc que je voulais devenir reporter photographe. Déjà, en août 1961, mes intentions étaient assez claires, merci. Je m'imaginais reporter photographe en mission dans le Sahara. J'étais tellement convaincu de mon affaire que, dans un bel esprit de témérité, je suis allé jusqu'à me présenter au consulat français de Montréal pour demander qu'on m'envoie en Algérie avec l'armée française! Déjà, à l'époque, les diplomates laissaient savoir que la guerre d'Algérie serait terminée un an plus tard, ce qu'ignoraient pourtant les soldats français. ⊙ Je ne suis pas allé en Algérie, évidemment. ⊙ En fait, c'est durant la guerre du Viêtnam que j'ai vraiment eu la piqûre. Tous les jours, aux bulletins de nouvelles, j'étais fasciné par les images magnifiques — et horribles à la fois — qui provenaient de ce lointain pays du sud-est asiatique. Je m'imaginais dans un hélicoptère, assis sur le seuil de la portière ouverte, les jambes ballottant dans le vide, photographiant les Marines et les Viets en pleine action. J'étais convaincu que mon rêve prendrait bientôt forme. ⊙ Eh bien, croyez-le ou non, j'étais tellement habité par ces images que j'ai eu le culot de me pointer dans un bureau de recrutement de l'armée américaine à Plattsburgh! Mes appareils en bandoulière, mes valises faites, j'étais prêt à m'enrôler. ⊙ Malheureusement, vous vous en doutez bien, mon rêve un peu fou ne se réalisa pas : mon âge — en 1968, j'avais déjà 28 ans — et mon statut de père ont empêché mon projet de voir le jour. ⊙ Après ces péripéties, et de nombreuses autres que je vous raconterai au fil de cet album, il me fallait trouver le moyen d'aller au bout de mon rêve. Comme vous pouvez le constater, rien ne pouvait m'arrêter!

J'ai donc pris les grands moyens : je suis devenu un grand voyageur. J'ai fini par visiter le Viêtnam (à trois reprises), l'Algérie aussi, sans me transformer en soldat, grâce, notamment, à des voyages organisés en collaboration avec l'ONU, puis avec le concours d'agences de voyages ou dans le cadre de reportages journalistiques. Pour moi, la photo est devenue le complément de l'histoire. Puisque je suis nostalgique de nature, la photo, chez moi, a l'effet d'une curieuse hallucination qui me retrempe dans le passé. Non seulement

◀ 1991. Dans le Sahara tunisien.

j'y revois le sujet imprimé par mon appareil et y revis même le moment où il a émis son déclic, mais je ressens aussi le climat, les bruits, les odeurs qui se manifestaient au moment où la photo fut prise. ☉ Et comme je suis un maniaque d'histoire, il va sans dire que mon Nikon a été — et continuera d'être — l'instrument idéal me permettant d'immortaliser des scènes où se sont déroulés des événements historiques. Par exemple, regardez cette photo de la page 98, prise en République tchèque, sur laquelle on ne voit qu'un champ vert au sommet duquel une moissonneuse-batteuse est en train de préparer l'engrangement. Oui, oui, d'accord, je l'avoue, elle n'a, en soi, rien de spectaculaire. Eh bien, vous ne pouvez pas vous imaginer les difficultés que j'ai eu à surmonter pour me rendre sur cette fameuse colline qui ressemble pourtant à bien d'autres collines, mais qui est en réalité sise à Austerlitz, là où Napoléon a démontré le summum de son talent militaire, en décembre 1805. ☉ Je voulais à tout prix voir ce champ de bataille encore intact. Et je vous jure qu'il fallait être décidé pour s'y rendre depuis Vienne en Autriche! Moi, je me fiais bêtement à mon passeport canadien, supposé être un passe-partout... partout, mais croyez-moi, j'ai eu mon lot de surprises. Tout d'abord, je me suis hasardé à bord d'un train qui me menait en Slovaquie, plus précisément à Bratislava, patrie des frères Stastny. Mais comme j'étais sans visa, les douaniers slaves m'ont littéralement foutu en bas du train, et je me suis retrouvé seul au milieu de nulle part. ☉ Le hasard a voulu que je rencontre un chauffeur de taxi qui m'expliqua comment me procurer le précieux papier. Une fois arrivé au Bureau des visas, les fonctionnaires présents, des gueules de bois fort bien dressées par Moscou, n'avaient absolument pas changé d'attitude même si, en 1994, le régime n'existait plus depuis trois ans. Et personne ne pouvait me dire où se trouvait Austerlitz. «Connais pas», «Don't know», «Nein», «Niet», «Ne», «Nie» qu'ils

me répétaient ad nauseam. ☉ Finalement, une jeune étudiante — fort jolie d'ailleurs — qui avait trempé dans toute cette aventure m'indiqua la route de Slavkov. Mais voilà, Slavkov, c'était en République tchèque, puisque Austerlitz n'existait en fait qu'à l'époque de l'empire autrichien. Il faisait 40 °C le long de cette voie rapide déserte et, rendu à la frontière de l'autre république, une tête de mule armée jusqu'aux dents m'apprit que j'avais besoin d'un autre visa pour traverser. Je n'en revenais pas. Décidément, on se payait ma gueule! ☉ On me renvoya donc à Bratislava afin de quérir un autre maudit papier à l'ambassade tchèque en Slovaquie. Après mille et une sueurs et mille et un jurons, je suis reparti avec mon chauffeur pour Slavkov. Mais bon, une fois dans les alentours, allez donc savoir où se trouve ce champ de bataille où Napoléon a administré toute une leçon aux Autrichiens et aux Russes... Je me mis alors à sillonner les environs, et je remarquai l'existence d'un restaurant portant une curieuse raison sociale : Maréchal Soult. Oui, oui, celui-là même qui s'illustra auprès de Napoléon. ☉ Résultat : on me donna des indications plus précises, et voilà la fameuse photo qui résume une série de déboires désormais gravés dans ma mémoire de photographe... et de touriste : une chaleur carrément insupportable, quelque 200$ pour des taxis, une autre fortune pour les visas, un bataillon de gueules de bois, l'histoire qu'on n'enseigne plus aux Tchèques et la gloire de Napoléon, que trop peu de gens ont encore

① KATMANDOU (*Népal*), décembre 1996. « Vous allez faire d'excellents sondages cet automne », m'a promis ce prophète népalais (moyennant quelques roupies). ② En compagnie d'une jeune Vietnamienne à Hô Chi Minh-Ville (1991). ③ Je sors de l'enfer de la Bosnie-Herzégovine après un voyage en compagnie de membres des forces armées canadiennes (1991).

(9)

en mémoire... Une photo qui, assurément, ne gagnera jamais un prix, mais une photo qui parle.

Pour faire de la photo qui parle, il faut grouiller, il faut se pencher, il faut se salir, il faut courir parfois. Il faut être téméraire. Ce livre, c'est un peu ma vie. Il y a de la bougeotte là-dedans. Oh! tous les pays que j'ai visités ne sont pas nécessairement présents dans ces pages. Il manque bien des contrées, bien des femmes — vous savez combien j'aime les femmes... Enfin, si vous ne le saviez pas, la lecture de ce livre vous en convaincra! Plusieurs photos ont été loupées; d'autres, trop osées j'imagine, ne pouvaient faire partie de cet album (je me plie avec tristesse à l'avis de mon éditeur); d'autres ont été placées dans la filière n° 13 (décidément, mon éditeur est très sévère). ☉ Et nombre de pays restent encore à visiter. J'ai l'intention de voir l'Antarctique, l'Inde, Tahiti... Il y a aussi certaines parties du Canada et des États-Unis où je souhaite encore me rendre, aux endroits où s'est écrite l'histoire; Gettysburg, par exemple, où sudistes et nordistes se sont affrontés dans une bataille décisive. Il y a aussi les Papous de l'Indonésie que j'aimerais bien photographier à quelques centimètres du nez... Les projets ne manquent pas,

◄ LA HAVANE *(Cuba)*. Lors d'un voyage de presse, en juin 1993, j'ai rencontré Fidel Castro, cet homme qui a fait trembler la terre en 1962 alors que le monde vivait dans la peur d'une troisième guerre. En effet, Castro avait, avec l'aide des Soviétiques, installé des rampes de lancement de fusées nucléaires dans son île, ce que ne pouvait accepter Kennedy. Castro est l'un des plus grands tribuns du monde, il peut haranguer une foule pendant sept ou huit heures sans arrêt! Condamné à l'isolement par les Américains, il aura quand même réussi à donner à son peuple hygiène, santé et instruction... Pas mal, quand même, pour un dictateur!

croyez-moi. ⊙ Lorsque je raconte de telles choses à mon frère Jacques, celui-ci, assurément plus pantouflard que moi, n'en revient jamais. «Pourquoi ne choisis-tu pas l'Europe, les États-Unis, là où il y a de bons hôtels confortables... et des avions qui peuvent te ramener?» me répète-t-il sans cesse. Curieusement, une fois que je suis de retour de mes aventures, tant mon frère que mes proches sont pourtant toujours très heureux de se jeter les premiers sur mes albums.

Jeune, j'ai vite trouvé une idole en Antoine Désilets, du quotidien *La Presse,* qui ne finissait pas de me surprendre. Il m'est arrivé de partir sur ses traces, question de déterminer comment il s'y prenait pour faire preuve d'autant d'imagination dans ses compositions. ⊙ Plus tard s'ajoutèrent d'autres grands noms de la photo journalistique québécoise. Bernard Brault, également de *La Presse,* de même que Jacques Grenier, du *Devoir,* m'ont également procuré beaucoup de plaisir pour les yeux. Au *Journal de Montréal,* c'est Denis Brodeur qui m'a redonné en quelque sorte le goût du hockey et de la boxe par le biais de son travail colossal. ⊙ Quelques milliers de photos plus tard, prises dans des dizaines de pays, je me suis quand même amélioré. J'ai même été invité par Planète Québec, qui a un site Internet, à présenter une trentaine de mes plus belles photos. Les chaînes de magasins Direct Film et Foto Clik ont également exposé quelques-unes de mes photos prises au Maroc, au Viêtnam et au Kenya. La station de radio CKMF s'est servie de la photo n°4 de la page 251 pour promouvoir son zoo radiophonique. De Montréal à Bangkok en passant par Moscou, Paris, Rome et Casablanca, que ce soit pour des paysages, des visages expressifs ou des scènes historiques et d'action, mon appareil photo est le meilleur outil que j'aie trouvé pour fixer à jamais ces moments mémorables.

Dans mes escapades autour du monde, j'apporte avec moi trois appareils : un Nikon FM2, monté d'un téléobjectif Nikor 35-200 mm, un Nikon FG, muni d'un grand angulaire et d'un filtre, et un petit Nikon F-50 pour photographier les scènes intérieures. ⊙ Au fait, je dois avouer que l'évolution de la technologie me laisse froid. J'ai développé une certaine aversion pour les beaux machins à la fine pointe de la technologie auxquels je préfère de loin les appareils à réglage manuel. Une bonne mise au point, l'aiguille dans le milieu... et flank! Les appareils automatiques, avec leurs bip bip incessants, finissent par me rendre impatient. ⊙ Je cherche généralement les plus beaux cadres en éliminant autant que possible les fils, les poteaux, les affiches ou tout ce qui est contemporain, comme les montres, les lunettes ou pendentifs qui pourraient dénaturer une scène pure, question de mieux me retremper dans le passé. Sur la plaine de Waterloo, par exemple, là où s'est joué le sort de la francophonie mondiale, j'ai pris des photos cadrées de manière à ne jamais voir ce qui n'aurait pas été dans le viseur si je les avais prises en 1815. Avec le temps, je suis devenu très rigoureux face à mon travail. Je ne conserve que les clichés qui me plaisent. Sur des milliers, quelques centaines seulement passent l'examen. Les autres empruntent la route du panier.

Bref, la photographie n'est pas qu'un clic-clic. Les passionnés de photo le savent tout aussi bien que moi. Avec le temps et l'expérience, cette activité permet de développer ce que j'appelle «l'œil du photographe», un œil curieux, d'une acuité particulière, qui permet de voir ce que plein de gens ne voient pas. ⊙ Souvent, un individu est composé de plusieurs personnalités. Mais je vous assure que Gilles Proulx, l'homme de radio, et Gilles Proulx, le photographe, ne font qu'un. Vous n'aurez aucun mal à me reconnaître à travers les souvenirs et les opinions qui ponctuent les photos de cet album; les chemins sillonnés comme reporter ou comme photographe amateur se sont trop souvent confondus. Toutefois, contrairement à mes

opinions généralement directes, voire tranchantes, mes photos sont plutôt l'illustration de la pureté du calme. Ça vous reposera des (trois ou quatre) émissions endiablées, de mes (rares) cris, de ces (quelques) moments où, en ondes, je peux perdre patience. Certaines des photos, vous le verrez, sont de petits clins d'œil teintés d'humour. Vous me connaissez : si je peux être franc, voire cassant, j'ai un maudit bon sens de l'humour aussi !

Avant de vous souhaiter une bonne lecture, je désire exprimer ma reconnaissance à **Sylvain Bédard**, des Éditions Transcontinental, qui a accueilli favorablement ce projet d'album souvenirs et a accepté de le publier. ☉ Enfin, je remercie sincèrement **Jean Paré**, pas celui du magazine *L'actualité* mais l'autre, qui s'est révélé un conseiller en rédaction fort efficace dans cette aventure extraordinaire. Avec doigté, il a su mettre en mots les émotions et les souvenirs qui occu-

paient ma mémoire depuis si longtemps. Salut mon grand Jean, et merci de ton amitié et de ton respect.

Prêts pour l'embarquement ? Attachez vos ceintures, on part !

▲ VIENNE (*Autriche*). Cherchez l'erreur.

Mon bikini, ma brosse à dents

Comme je transporte déjà à l'épaule un sac qui contient tout mon attirail de photographie, je fais en sorte de voyager avec le strict minimum. Un seul sac. Je m'arrange toujours pour faire laver mon linge (en pleine brousse, j'utilise la planche à laver, un vrai charme). J'évite autant que possible de devoir placer quoi que ce soit dans la soute à bagages. ⊙ En fait, je n'aime pas rester longtemps dans les aéroports étrangers. J'ai horreur de perdre mon temps aux douanes à me faire poser 56 questions stupides.

① Maison typique des Atlas. ② Sur ma route, j'ai croisé cet homme
des Atlas. Une autre preuve tangible d'un pays loin d'être uniforme.

Le Maroc

Le plus bel endroit au monde

Les deux plus beaux pays du monde en matière de raffinement, d'histoire, de beauté des choses et des gens, d'aménagement des lieux et de la nature sont sans contredit la France et l'Italie. Toutefois, le photographe amateur que je suis a un faible déterminant pour le Maroc. ¶ Ce royaume projette une lumière vive qui éclaire des décors millénaires demeurés tout à fait intacts. Au Maroc, pas de grands panneaux publicitaires de Coca-Cola, pas d'édifices aux vitres bleues qui détonnent dans les villages du sud ou dans les villes impériales. Le Maroc, c'est encore l'authenticité pure en cette fin de XXᵉ siècle, ce sont les costumes des tribus berbères qui changent de couleur d'une région à l'autre. Le Maroc, c'est aussi le désert avec ses caravanes, comme au temps de Jésus, c'est le sud d'Erfoud où, au beau milieu du Sahara, vous trouvez un lac… Oui, oui, un lac en plein cœur du désert ! C'est assez pour saisir le sens de l'expression « mirage ». ¶ Le Sahara, c'est enfin ce chapelet de forts de la Légion étrangère, ces gens qui se sont battus pour porter le flambeau du colonialisme. Des forts qui sont restés là, solides comme le roc, comme pour rappeler les grands jours de l'empire. ¶ Sa musique particulière m'habite encore. À la radio, pas de rock'n roll, que des jérémiades implorant sans interruption la Lune — la Lune est très présente dans la poésie arabe. Entendre ces voix langoureuses, surtout celles des femmes, m'a littéralement enivré. Ah! vraiment, j'adore le Maroc. J'y suis allé 11 fois et je rêve au jour où j'y retournerai. ¶ Je vous le dis, des pays au mode de vie primitif, j'en ai vu toute une trâlée. Je suis allé au Yémen, je suis allé au Soudan, je suis allé en Mauritanie, mais le Maroc demeure pour moi le pays le plus authentique et le plus fascinant à mettre en images. Je serai à jamais ébloui par cette architecture unique, ces fabuleuses casbahs, ces splendides costumes, ces couleurs chaudes, cette musique suave.

Indépendance, quand tu nous tiens…

La première fois que j'ai visité le Maroc, je l'ai fait avec un amour de vacances, Marie-Claire Bourgeois, une ravissante Acadienne qui étudiait à l'université d'Aix-en-Provence et que j'avais rencontrée à Paris. Nous avions pris le train en direction de Rome et de là, l'avion vers Tunis. C'était la veille de Noël. Ça me faisait tout drôle de me retrouver là parce que, dans un pays arabe, Noël n'a aucune espèce de signification. En effet, pour les Arabes, le Christ n'est pas le sauveur ; il n'est qu'un prophète. ¶ Nous partons donc le lendemain sur le pouce et passons la frontière algérienne. Nous nous retrouvons dans les monts Atlas, quand surgit une voiture de police. « Mais qu'est-ce que vous faites là ? lancent-ils.

— Ben, on fait du pouce, on s'en va à Alger, que nous répondons.

— Mais vous ne savez pas ? Dans ces montagnes, il y a des sangliers sauvages qui peuvent sortir de n'importe où et foncer sur vous. C'est très dangereux !

— Ah oui ? »

La police ne fait ni une ni deux, nous fait monter à bord,

hébétés que nous sommes, puis nous conduit au poste frontière. Nous sommes en 1970, trois ans après le fameux
« Vive le Québec libre » lancé par le général de Gaulle.
Lorsque nous lui apprenons que nous sommes Québécois,
l'un des douaniers, bien informé de nos désirs d'indépen-
dance, me dit à l'oreille : « Faudrait faire vite, hein, faudrait
faire vite, les Québécois. Faudrait vous décider ! » ¶ Mon
Dieu, presque 30 ans et deux référendums plus tard, on peut
dire qu'on n'a rien compris pis c'est vrai !

Amoureux « officiel » du Maroc

Un soir de 1988 où je suis invité à l'émission *Les carnets
de Louise*, Louise Deschâtelets me lance : « Tu es un grand
voyageur. Quel est le plus beau pays au monde pour
toi ? » D'emblée, je réponds évidemment : « Le Maroc. » Ça
n'a pas pris une journée que je recevais une série de mes-
sages à la station ! « Monsieur Proulx, ici le délégué com-
mercial du Maroc », « Monsieur Proulx, je suis le directeur
de Royal Air Maroc », « Monsieur Proulx, c'est l'ambassade
du Maroc »... Ils ont fait de moi une sorte d'ambassadeur,
me disant : « [...] n'importe quand, lorsque vous voudrez
aller au Maroc, appelez-moi. Vous êtes un citoyen du Maroc,
un ami du Maroc. » Wow ! ¶ Souvent, à mon émission, je fais
tourner une musique berbère que j'aime particulièrement,
toujours la même. Je me moque aussi — affectueusement —
des « grands chefs », je dis toujours que le Maroc est le
« pays des grands chefs ». En effet, « Chef ! », c'est l'expression favorite des vendeurs itinérants de couteaux, de tapis,
de faux bijoux et de babioles de toutes sortes. Ils murmurent
toujours « Tss Tss », voulant d'abord attirer l'attention du
touriste au cas où la police les empêcherait de vendre leurs
objets, puis ils lancent : « Chef ! Chef ! Chef !, viens ici,
Américain ? Français ? Tapis ? Bracelet en or ? », etc. Chaque
fois, je ne peux m'empêcher de sourire devant leur manège.
¶ Un jour, le directeur de la chambre de commerce Canada-
Maroc m'appelle et me dit qu'il organise un grand gala à l'intention du gratin marocain de Montréal ; il veut que j'en sois
l'animateur. C'était un très grand événement, en effet : le
maire Bourque était là, la ministre de l'Immigration, Louise
Harel, également, en plus de l'ambassadeur du Maroc au
Canada, etc. Et là, on m'a pris par surprise. À la fin de la
soirée, on a rendu hommage à l'amoureux du Maroc que je
suis. Je pensais qu'on me donnerait une djellaba, un
couteau, un tapis, je ne sais pas, moi ! Mais non ! L'ambassadeur a pris la parole pour m'annoncer que, au nom du roi
Hassan II lui-même, il me remettait une plaque afin de
souligner « la reconnaissance du pays à l'égard de l'amour
qu'éprouve Gilles Proulx envers le Maroc et sa culture ». ¶ Et
il faisait de moi un citoyen honoraire du Maroc.

▶ La difficulté que j'ai eue à prendre cette photo ! Cette jolie
Berbère n'avait que 14 ans. Son père est vite venu me dire de
l'épouser si je la voulais. Comme j'étais avec ma blonde Ginette
Maurais et que je ne planifiais pas exactement de me remarier,
la photo m'a coûté 10 dirhams.

① Qui a dit que, dans les pays arabes, les femmes travaillent pendant que les hommes se paient une jasette ? (Petit clin d'œil à mes amies féministes.) ② Nous avons « nos » Rocheuses, les Marocains ont « leurs » Atlas ! ③ En plein cœur du Sahara, près d'Erfoud, un lac. Ce n'est pas un mirage ! Si vous allez dans le Grand-Sud, il vous faut absolument vous rendre jusque-là pour voir le véritable Sahara sablonneux.

① Un autre joyau d'architecture encore intact. Tiens, tiens, c'est au tour des hommes de placoter. Entre hommes seulement, bien sûr. ② Sur la plage d'Agadir, d'hier à aujourd'hui… ③ Le Maroc compte deux grandes communautés : les Berbères et les Arabes. Ici, une femme arabe de Fez jette un regard ensorceleur à mon objectif. Une photo qui m'a valu un prix de la part de la maison Kodak en 1976.

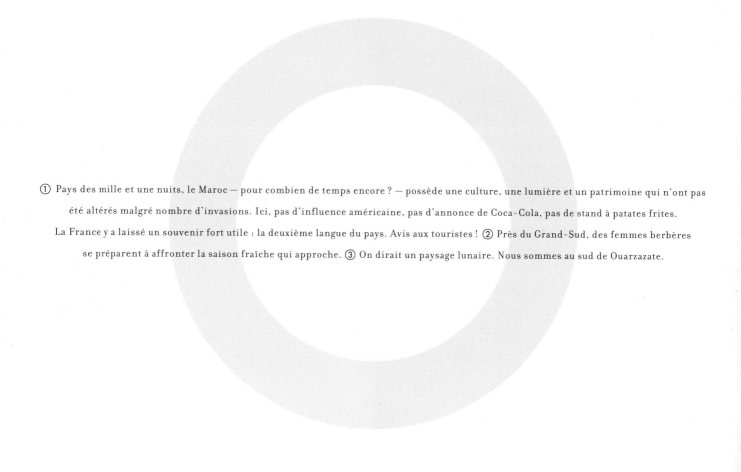

① Pays des mille et une nuits, le Maroc — pour combien de temps encore ? — possède une culture, une lumière et un patrimoine qui n'ont pas été altérés malgré nombre d'invasions. Ici, pas d'influence américaine, pas d'annonce de Coca-Cola, pas de stand à patates frites. La France y a laissé un souvenir fort utile : la deuxième langue du pays. Avis aux touristes ! ② Près du Grand-Sud, des femmes berbères se préparent à affronter la saison fraîche qui approche. ③ On dirait un paysage lunaire. Nous sommes au sud de Ouarzazate.

◄ Aujourd'hui converti en auberge, ce vieux fort de la Légion étrangère de l'époque du glorieux empire français se trouve à quelques kilomètres au sud d'Erfoud.

① Un berger comme on en retrouve des milliers au Maroc.
② Une variété d'épices qui donnent le goût de ce pays. ③ Grande
fête à la casbah de Ouarzazate. Écoutez la musique, sentez la
chaleur, humez ce parfum de menthe !

① TUNIS *(Tunisie)*, juin 1991. L'empire Coca-Cola a même fait des heureux chez les dromadaires (que tout le monde appelle des chameaux). Bien qu'ils n'aient qu'une bosse (est-ce la bosse des affaires ?), les dromadaires tunisiens ne travaillent pas s'ils n'obtiennent pas leur ration de cola. ② TUNIS *(Tunisie)*. L'art de tourner autour du pot.

① Petit pays arabo-francophone, la Tunisie aussi a été marquée par des occupations berbères, arabes, italiennes et françaises. C'est d'ailleurs de Tunis qu'est parti le célèbre général carthaginois Hannibal avec son armée pour aller ébranler la suprématie romaine du temps. À Tunis, une auberge creusée à même le roc où des ouvriers prennent le repas du midi. ② Au sud du Maroc, il y a la Mauritanie, composée de sable et de sable et presque uniquement de sable. Dire que ce pays pratiquait encore en 1980 l'esclavage et la vente des femmes.

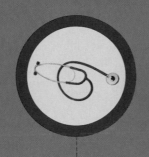

Y a-t-il un médecin dans la salle?

L'American Way of Life a pollué trop de cultures à travers le monde. Aussi, lorsque j'aboutis en plein cœur de la jungle et que j'y trouve des gens sereins, qui ont su s'en protéger, je ressens un réconfort certain. Ce n'est pas le fait d'être très loin, non. J'éprouve vraiment une sensation de surprise — et de douce satisfaction — en constatant qu'à l'approche de l'an 2000 des êtres humains sont parvenus à vivre en marge de tout progrès, à garder intacts leurs modes de vie, malgré les siècles qu'ils ont laissés derrière eux. ◉ Évidemment, je dois avouer que j'ai toujours une petite inquiétude, voire une mini-angoisse : si je tombe malade, qui peut me soigner en pleine jungle, à mille lieues de la ville ? Chez les Chocos, au Panama, par exemple, il n'y a pas de médecin. Ça prend deux jours avant d'atteindre la prochaine piste d'atterrissage dans la jungle. Je vous le jure, ça stresse son homme.

▲ Avec les Zoulous d'Afrique du Sud, les Massaïs constituent les dernières véritables tribus d'Afrique. Ici, un groupe de Massaïs, peuple de guerriers qui a également le souci de l'esthétisme. On ne les aborde pas comme on veut. Votre chef de groupe doit d'abord négocier la permission d'entrer dans leur village.

sauvage

Le Kenya

Paradis terrestre où les animaux sont bien protégés

Je ne suis pas allé beaucoup en Afrique. J'en connais bien le nord pour avoir visité le Maroc, l'Algérie, la Tunisie et l'Égypte. J'ai aussi vécu au Sénégal, fait un détour en Mauritanie et visité le Niger alors que j'assistais à une conférence internationale sur la francophonie. Pour moi, l'Afrique, ça se résumait à ces « quelques » voyages. ¶ Avant d'aller travailler au Sénégal, j'avais toujours pensé que l'Afrique et la faune ne faisaient qu'un. Vous imaginez ma surprise lorsqu'on m'a appris que la faune africaine avait mangé toute une claque, par la faute de salopards qui ont abattu nombre de grands félins et d'éléphants. C'est connu : les obsédés sexuels du monde entier sont friands de la « poudre d'éléphant », un aphrodisiaque puissant. ¶ Toutefois, on m'avait dit que, au Kenya, le gouvernement protège ses animaux à l'aide de lois antibraconnage éminemment sévères. Par exemple, si un homme armé est vu dans un secteur à la gent faunique populeuse et que cet homme n'est pas un Massaï (un membre d'une tribu de la Tanzanie ou du Kenya qui a le droit de chasser pour assurer sa subsistance), les forces de l'ordre sont autorisées à lui tirer dans les jambes. Voilà qui démontre bien la sévérité d'un gouvernement qui ne veut pas perdre cette richesse unique.

Éléphants, autruches, félins, alouette

Un safari-photo au Kenya, c'est une expérience absolument inoubliable. Après escale à Nairobi, la capitale, on part en Jeep. Et ça ne prend pas une heure que la faune kenyane s'offre dans toute sa splendeur. ¶ Ce pays propose un milieu de vie très sauvage. On peut y voir des éléphants traverser la rue, des autruches se courir après, des félins roupiller dans un coin. Après avoir assisté à ce spectacle, après avoir humé la douce brise de ce pays, j'ai été tout simplement transporté. Vraiment, ce fut un grand privilège que de me retrouver dans ce décor très spécial où l'homme respecte les animaux.

Vivre dans la nuit

Les plus grands moments de fascination se déroulent aux petites heures. Au coucher, on nous prévient qu'on nous réveillera pour nous inviter sur la véranda. C'est que les lionnes attaquent la nuit ; leur victime est généralement l'impala, sorte d'antilope dont le mâle porte des cornes en forme de lyre. On nous réveillera aussi s'il est possible d'apercevoir, derrière quelque rocher, grâce à la lumière qui irradie autour du camp, les yeux du félin qui surveille sa proie. On ne voit pas ça à Brossard ! ¶ Par-dessus tout, ce qui m'a frappé le plus au Kenya, c'est le concert nocturne saisissant offert par la nature, ces « voix animales » qui en animent les nuits. Vous n'imaginez pas le charme de cet extraordinaire vacarme, vous n'imaginez pas la vie que recèle la nuit kenyane ! Éléphants, buffles, lions, oiseaux exotiques et singes offrent en chœur le plus inoubliable des récitals. ¶ Si ma santé le permet, je retournerai volontiers en Afrique. J'aimerais visiter la Tanzanie, où l'on trouve encore quelques rares gorilles.

④

① 6 h 3o. Une mère éléphant et sa fille se dirigent vers une rivière à proximité, pour aller faire leur toilette matinale. ② Guerrier massaï de la région de Mombasa. ③ Sommes-nous siamois ou compagnons ? Devinez ! Il faut un bon téléobjectif pour prendre de telles photos, car votre chauffeur de Jeep s'approchera jusqu'à 3o pieds du sujet seulement. ④ Quelle symétrie ! Deux girafes qui s'adonnaient à des mamours dans l'un des parcs du Kenya, le plus grand paradis d'animaux au monde.

① Un cliché d'une clarté exceptionnelle et dont je suis particulièrement fier. J'ai utilisé un film 25 ASA pour saisir tout le détail de cette scène. ② LE LAC NAKURU, reconnu pour son gibier aquatique, ses flamants roses et des centaines de milliers de pélicans. Ils sont des millions, mais à jacasser de quoi ? De tous ces touristes en culottes courtes venus les photographier ?

▲ LE SÉNÉGAL ne compte pas une richesse faunique comparable à celle du Kenya, mais il renferme encore des petits villages idylliques comme celui-ci, situé à la frontière de la Mauritanie.

Le Sénégal

Apprendre à ralentir

Alors que j'enseignais le journalisme radio à l'Université de Montréal, j'ai été envoyé, le temps d'un trimestre, en « mission » à l'Université de Dakar, un établissement inter-africain de 30 000 étudiants, dans le cadre d'un échange au sein de la francophonie. Pendant trois mois, j'ai pu vivre au rythme de l'Afrique. Une expérience dont je garde de tendres souvenirs. ¶ Tout un monde sépare l'enseignement nord-américain et l'enseignement africain. On arrive là, toujours sur le piton, toujours au garde-vous, pressé d'en produire le plus possible. Les Sénégalais, il faut que je leur donne ça, ils m'ont appris à ralentir, à respirer, du moins le temps qu'a duré mon séjour ! Les étudiants arrivaient en retard et me disaient, avec une certaine absence que je qualifierais de typique : « Ce n'est pas grave, ce n'est pas grave, Monsieur le professeur. » Au début, ça me mettait en beau fusil et je les envoyais dans le couloir pour leur apprendre à arriver à l'heure le lendemain. Mais ça ne changeait absolument rien. Même qu'en fin de stage je trouvais ça drôle ! J'ai fini par me dire : « Ils ont peut-être raison. » ¶ Je me souviendrai toujours : un jour, au beau milieu d'un cours, un étudiant se lève et se met à hurler : « Monsieur Proulx, Monsieur Proulx, tout le monde par terre !

— Qu'est-ce qui te prend, tout le monde par terre ?

— Tout le monde à plat ventre ! »

Alors, toute la classe se jette sur le plancher, moi le dernier. À peine une seconde plus tard, un nuage d'abeilles gigantesque — il y en avait vraiment des milliers et des milliers — a envahi la salle de classe et survolé nos têtes comme des Mirages. Puis elles sont reparties. Nous avons tranquillement poursuivi la matière. Un phénomène typiquement africain ! ¶ Nous avions une radio à l'intérieur du campus. Tous les soirs, on faisait un grand radio-journal. Je me rappelle, quand je passais au bar des étudiants à la fin de la journée, vers 17 h, tout le monde était attentif et écoutait le radio-journal. Ça me flattait beaucoup. Je suis sorti de cette expérience très satisfait, j'ai eu l'impression de prodiguer efficacement les techniques nord-américaines du journalisme radiophonique.

Dakar

Dans la capitale, mendiants et riches, Noirs et Blancs, guimbardes et Mercedes, bordels et hôtels quatre étoiles, médecins et marabouts composent un paysage d'un éclectisme pas ordinaire. ¶ Au large du port de Dakar, il y a l'île de Gorée, haut lieu historique balayé par un doux vent de l'Atlantique et d'où sont partis des milliers d'esclaves en route pour l'Amérique. Pendant les deux grandes guerres, les Européens avaient fait de la Gorée un point stratégique. En 1940, le gouverneur Boisson, à la solde du gouvernement de Vichy, s'était, au nom de Pétain, catégoriquement opposé à un débarquement anglo-gaulliste. Un coup de canon avait même été tiré en direction du chef de la France libre, coulant ainsi l'un de ses navires. Le canon a par la suite été utilisé dans quelques scènes du film *Les canons de Navaronne*.

Nombre de natives négrières au cours du XVIII° siècle -

NANTES	=	40
LE HAVRE	=	22
BORDEAUX	=	19
LA ROCHELLE	=	15
MARSEILLE	=	6
St MALO	=	3
LORIENT	=	2

battant enseigne blanche fleurdelisée

(ARCHIVES)

...oids de sang ...e souffrances ... aussi... ...résistances ...éroïques.

Jo NDIAYE

...traite des Noirs fut ...t-être la plus trau-...tisante migration ...l'histoire moderne.

Jo NDIAYE

O Gorée! Combien de Caravelles ont jeté l'ancre son ton cœur?

Jo NDIAYE

...ngtemps, mythes et préjugés de ...s sortes ont caché au monde ...ntoire réelle de l'Afrique ...sociétés africaines passaient ...r des sociétés qui ne pouvaient...

① Les mamans sénégalaises, bien belles et bien jeunes, apprennent rapidement les rudiments de l'hygiène. Même le lavabo de la municipalité de Gorée peut servir la meilleure des causes. ② Gorée, une île au large de Dakar au Sénégal. À une certaine époque, on y gardait les esclaves, qu'on avait capturés dans la brousse africaine, avant de les envoyer en Amérique. Les murs de cet ex-comptoir français sont stigmatisés par les réflexions qui y sont apposées.

◄ GORÉE *(Sénégal)*, juin 1983. Le canon utilisé pour le tournage du film *Les canons de Navaronne*.

Un voyage qui forme la jeunesse

Mon tout premier grand voyage outre-Atlantique remonte à 1964. Je suis allé à Paris, une ville dont je rêvais depuis longtemps. En fait, je m'imaginais vivre là pour de bon — enfin... pour un an au moins. Je me suis installé dans une pension d'étudiant et de là, je suis allé faire un tour en Espagne. Mais bon, j'étais bien jeune, j'avais 24 ans, l'ennui m'a envahi au bout de trois mois. Je suis rentré.

La France

Le pays le plus complet du monde

Un jour, Thomas Jefferson a dit : « On a tous deux pays, le sien et la France, mère des libertés et des arts. » J'aime à me le rappeler. ¶ La France est ma mère patrie. C'est ce que la petite école m'a appris à une époque où elle se faisait un devoir de nous faire aimer la géographie et la France. Ça aussi, j'aime à me le rappeler. ¶ La France, j'y suis allé une quarantaine de fois. Et elle continue d'exercer sur moi une grande fascination. C'est un pays qui a presque tout ce qu'ont les autres, mais à des distances très rapprochées. Ainsi, les Québécois peuvent dire : « On a la Gaspésie », les Français peuvent répondre : « On a la Bretagne ». Les Canadiens peuvent se vanter d'avoir les Rocheuses, les Français peuvent répliquer avec les Alpes, tellement plus majestueuses. Les Américains peuvent affirmer : « On a la Floride, la Californie », les Français diront : « On a la Côte-d'Azur, la Camargue, Aix-en-Provence ». Les Anglais peuvent dire « On a des châteaux », les Français peuvent lancer, morts de rire, « Des châteaux, on en a des centaines ». Et que les Italiens ne tentent pas de les impressionner avec leurs vignobles... Les Français clameront que les Italiens

◀ CHAMPS-ÉLYSÉES (Paris), août 1996. Chez Fouquet's, les artistes et le jet set parisien parlent de la carrière médiocre ou fabuleuse d'un tel ou d'une telle. Oui, il s'agit bien du même Fouquet's que l'on retrouve rue de la Montagne, à Montréal, où notre jet set à nous ne va pas trop souvent. Est-il moins exhibitionniste ou simplement plus fauché que celui de Paris ?

préfèrent les vins français ! Ils trouvent toujours de quoi répondre. ¶ D'ailleurs, vous savez, le petit côté « casse-pieds » des Français peut faire rire lorsqu'on décide de jouer le jeu. Moi, je trouve cela charmant... On prétend que les Français sont condescendants, chialeux et contestataires, c'est qu'on n'a pas toujours le verbe pour les confronter. Chose certaine, quand on le fait, ils nous aiment tellement ! ¶ Et je vous jure qu'avec ma grande gueule, là-bas, je trouve le moyen de me faire aimer !

Cap sur Saint-Malo

Je ne me lasse pas de visiter Paris. Mon amour de l'histoire m'amène chaque fois aux Invalides, histoire de saluer Napoléon. Cela dit, je connais pas mal tous les coins de la France, mais je retourne plus souvent en Bretagne et en Normandie. J'aime y faire des pèlerinages. Est-ce à cause de mes attaches ancestrales ? J'ai fait toute la côte de la Normandie récemment ; je me suis arrêté partout où les Canadiens sont descendus, aux plages Juno, Courseulles-sur-Mer, Saint-Aubin, notamment. ¶ Toutefois, lorsque je veux voir du paysage, je retourne toujours à Saint-Malo. Là, je peux aller au bord de la mer et, une fois encore, me remettre en mémoire l'œuvre de Chateaubriand, le grand écrivain enterré là, au sommet d'un récif sur lequel on peut se rendre quand la marée descend. Sa dernière volonté : « Je veux être enterré là où, pour l'éternité, j'entendrai la mer. » ¶ Mais Saint-Malo n'a pas que Chateaubriand à offrir. Elle a aussi Jacques Cartier. Quand je m'y rends, je m'amuse à l'imaginer, pointant le doigt vers le Canada. Ça m'excite toujours, ça m'émeut même, lorsque je me dis et me redis : « C'est ici que ça a commencé. » Quand je fais mes fameux pèlerinages historiques, je m'assieds sur un banc, j'écoute la mer frapper les récifs et je me rappelle que de l'autre bord, c'est chez moi, et que ce sont des gens d'ici qui sont venus y créer une vie.

Souvenirs, souvenirs...

J'ai vécu à Paris une année, en 1969-1970. Je profitais alors d'un échange qui me permit de travailler à Radio-Luxembourg, rue Bayard. C'est là que j'ai découvert l'efficacité des services de nouvelles européens en comparaison des minuscules salles d'information québécoises de l'époque. Imaginez un poste de radio qui a sous son toit 600 employés ! Il est vrai que ces radios fort puissantes s'adressaient à des millions de personnes comparativement à quelques centaines de milliers chez nous. Le prix de la pub n'était pas le même et les salaires non plus ! ¶ Lorsque mon patron, Guy D'Arcy, alors de CKLM, m'a rappelé au bout de mon année sabbatique, j'ai eu l'impression que la récréation était finie. Fini le Quartier latin où j'habitais. Fini les petits bistrots où je m'étais habitué à entendre les sempiternels « Au revoir, m'sieur dame ». Fini ces belles Parisiennes dans le métro ou aux Champs-Élysées. Fini ces grandes places, l'Arc, la tour, et ces ponts qui me donnaient véritablement l'impression d'être dans une grande capitale marquée par Napoléon et le général de Gaulle. Fini Poulydor, fini le cinéma Saint-Germain, le Panthéon juste à côté de mon hôtel des Grands-Balcons, où je payais 14 $ par semaine. Aujourd'hui, il en coûte 110 $ par jour... et je suis convaincu qu'on dort sur le même matelas qu'à l'époque ! ¶ Mais Paris a également ses petits côtés « haïssables ». Entre autres choses, elle s'américanise à un rythme effarant. Sa radio ne chante qu'en anglais. Trenet, Aznavour, Bécaud, Gall, Duteil, Samson ou Souchon sont *out* chez ceux-là qui se disent *in*. Dans l'art de s'américaniser, la France est championne ! ¶ Le phénomène est mondial me dites-vous ? Un instant Messieurs Dames. Rome, Berlin et Vienne ne peuvent se comparer à Paris dans cette triste bêtise.

▶ VICHY. Là où l'eau de source coule à flots, les gens se font très silencieux lorsqu'on leur demande où se trouve l'hôtel du Parc. Pourquoi ? Simple : on préfère tenter d'oublier cette triste période au cours de laquelle le gouvernement français, chassé par les Allemands qui entraient à Paris, était allé se réfugier à Vichy. C'est d'ailleurs là, sous ce grand balcon, qu'habitait le maréchal Pétain, héros de Verdun, qui a terminé sa carrière dans l'humiliation la plus totale.

▶ Juin 1994. Illusion d'optique au musée du Louvres.

① CHÉNELETTE *(Beaujolais)*, décembre 1995. Photo prise chez Michel Perrin, célèbre peintre de la neige. Tombé amoureux du Québec, Perrin vient chez nous chaque hiver pour y peindre des scènes uniques du Québec en hiver. ② VIMY. Ce sous-bois cicatrisé par le temps n'a pas effacé les traces d'obus laissées par les Allemands. ③ RÉGION DU VERCORS. Maisons originales dans cette région de la rustre et combative France durant l'occupation nazie.

① CHAMPS-ÉLYSÉES.
Incroyable ! Ces bambines se
foutent éperdument du public
et s'apprêtent à satisfaire
leurs besoins les plus naturels
dans l'une des rues les plus
achalandées du monde (premier prix, Direct Film, 1981).
② 14 juillet 1996. Paris,
c'est Montmartre, c'est cette
belle jeune fille portant la
cocarde et jouant, pour le
plaisir des passants, des airs
d'accordéon.

① PARIS. Elle a près de 900 ans cette belle gothique. De l'époque des « rois maudits » au bossu de Notre-Dame, sans oublier le sacre de Napoléon et les funérailles du général de Gaulle, elle en aurait des histoires à raconter. En mars 1970, elle était couverte de neige, phénomène assez rare, merci. ② Sommes-nous sur une autre planète ? Mais non ! Nous sommes en France, juchés sur le mont Saint-Michel, à marée basse. À peu près du même âge que Notre-Dame de Paris, le Mont-Saint-Michel a vu le roi François Iᵉʳ y prier.

① VIMY. Ah ! ce que j'ai entendu parler de Vimy par mon vieil oncle Émile ! Il s'était volontairement engagé dans l'armée pour se battre lors de la Première Guerre mondiale et avait passé quatre années dans les tranchées de ce bled. J'y suis allé en août 1995. J'ai revu ces vaillants soldats à Vimy. Le Canada y a érigé un magnifique mausolée.

② La tour Eiffel est devenu l'un des monuments les plus célèbres au monde, même si les Parisiens l'avaient en horreur pendant l'Exposition universelle de 1889.

Mon fils Nicolas

Je n'ai pas eu assez de contacts avec mon fils. Je le vois peu, il est maintenant âgé de 30 ans, il a sa blonde. Quand il était un peu plus jeune, j'aurais dû être plus près de lui. J'étais toujours parti. Je ne l'ai pas assez vu. Je ne lui ai pas donné tout ce qu'un enfant peut souhaiter recevoir de son père. ⊙ Je conserve des souvenirs tendres des moments que j'ai partagés avec lui en voyage, même si je l'ai fait un peu sur le tard. Ensemble, on a visité le Mexique, la France, l'Irlande, l'Écosse, l'Angleterre, Israël. ⊙ C'est un artiste étonnant. Il fait de la caricature et des tableaux. C'est un peintre du dimanche. À force de m'écouter décrire ou critiquer des gens ou des comportements collectifs, il m'a mis dans la peau du capitaine Haddock dans le livre *Gilles Proulx, le tirailleur tiraillé,* où Alain Stanké avait inclus quelques-unes de ses caricatures de mon personnage de radio et des envolées à l'emporte-pièce qui sont si chères à ce personnage. ⊙ C'est vrai, j'ai un verbe haut et fort parfois, qui peut-être incisif à l'égard d'un groupe ou d'une situation, mais qui n'a rien de méchant dans le fond. Ce qui me fait sourire, c'est que le capitaine Haddock, lui aussi, était un grand voyageur. Sauf que lui était forcé de suivre Tintin. Je suis peut-être un heureux mélange des deux, finalement...

① LONDRES *(Angleterre)*. Ma copine, Marie-Andrée, jette un coup d'oeil à l'intérieur du bunker où Winston Churchill tenait ses conseils de guerre pendant que, la nuit, l'aviation allemande frappait partout en ville… ② À Londres, près de la House of Parliament, le vieux lion Winston Churchill veille encore sur la démocratie de la noble Angleterre. Le dos courbé, Churchill porte le poids de l'histoire sur ses épaules.

① LONDRES (*Angleterre*).
Dans laquelle des deux boîtes
parlemente-t-on le plus ?
② LONDRES (*Angleterre*).
Les fameux autobus londoniens
à deux étages.

① BRUXELLES *(Belgique)*. Dans une rue étroite de Bruxelles, l'ancien fait bon ménage avec le contemporain. Si seulement cette rue pouvait parler, elle pourrait raconter l'occupation allemande. La traîtrise et la bravoure se sont affrontées dans le cœur de ce quartier. ② HOLLANDE *(Pays-Bas)*, juin 1995. Petite rencontre pré-entraînement au pays des moulins… et du vélo.

②

La Hollande n'est pas qu'un endroit où d'ingénieux Hollandais ont un jour « volé » de la terre à la mer. C'est aussi un royaume dont les traditions sont jalousement protégées.

Une plage, un party, une leçon d'histoire

Pour moi, un voyage est très rarement un événement reposant. Si je vais en Jamaïque ou en Thaïlande, j'y vais pour ne rien faire. Ou pour faire la fête. Ou pour me rincer l'œil. Autrement, si je me rends en Amérique du Sud, par exemple, mon amour de l'histoire revient vite me hanter. Je vais alors essayer de voir tout ce qui date de l'époque coloniale, de la grande période espagnole, de suivre la trace des conquistadors, etc. ◉ Ça fait des voyages qui ne sont pas nécessairement de tout repos parce que pour une petite journée de plage que je m'offre, je vais, les jours suivants, louer une voiture ou une moto pour aller dans la jungle ou dans des endroits pas trop fréquentés par les touristes, toujours à la recherche de quelque chose. J'aime partir à la recherche de lieux étrangers, j'adore découvrir tout ce patrimoine qui a résisté à l'épreuve du temps. ◉ En gros, tous mes périples, je les considère épuisants. Mais c'est une fatigue différente.

effacer

L'Allemagne

Pays passé maître dans l'art d'effacer le passé

Lors de ma première visite en Allemagne, en 1970, je voyageais avec mon frère Jacques. C'était une escapade semi-organisée au cours de laquelle une guide passait nous prendre certains matins et nous emmenait pendant quelques heures à la découverte de lieux d'intérêt. ¶ Comme nous sommes deux enfants de la guerre, nous étions grandement intéressés à découvrir le maximum de vestiges des années Hitler. Mais lorsqu'on posait des questions, par exemple, où était situé le quartier général des Allemands durant la guerre, ou encore où se trouvait le stade des Olympiques de 1936, on sentait bien que nos requêtes agaçaient la guide, comme si elle refusait de dévoiler ce pan de l'histoire de l'Allemagne. ¶ En insistant, il a quand même été possible de voir quelques endroits. Je me souviens, on nous avait montré, entre autres, la « butte » où on avait camouflé le fameux bunker d'Hitler. Elle était située dans un *no man's land* entre deux murs. À l'époque, on nous faisait monter sur un échafaudage, au poste d'observation de Checkpoint Charlie, pour le regarder. Le stade, quant à lui, était encore intact. En fait, il était splendide. ¶ En 1996, quand j'y suis retourné,

j'ai découvert un pays complètement transformé, méconnaissable. Comme en train de se cicatriser. C'était frappant de constater à quel point l'obsession de la gomme à effacer avait décuplé. Il y avait de moins en moins de « témoins » de l'époque Hitler. Dans la brochure qui décrivait le tour de ville, il était dit qu'on verrait le bunker du führer, le quartier général des nazis et d'autres souvenirs du temps de la guerre. Puis on nous a bêtement montré du doigt des endroits « transformés » en nous disant furtivement des choses comme : « Sur ce tas de terre, on trouvait l'emplacement du bunker d'Adolf Hitler. On l'a fait sauter. » Ou encore : « Dans ce champ se trouvait le quartier général de la Gestapo. On l'a rasé. » J'étais estomaqué ! Je n'en revenais pas de voir le nombre de vestiges du passé qu'on avait tout bonnement fait disparaître. ¶ Vous comprenez que j'avais là une excellente occasion de m'ouvrir la trappe. Et je ne me suis pas gêné pour tenter de mettre ma guide dans l'embarras, devant tout le monde, avec une de ces envolées à l'emporte-pièce qui me sont si chères : « Quel débat de fou ! Pourquoi ne pas avoir restauré le bunker ? Vous savez très bien que 100 ou 150 ans peuvent être suffisants pour que les esprits se refroidissent. Un siècle plus tard, les gens seraient bien contents de mieux connaître Adolf Hitler et son époque, de savoir quel homme dément dirigeait l'Allemagne et comment il vivait, ainsi, sous terre. » Tout ce qu'on a trouvé à me répondre, c'est qu'un débat autour de la question, il y en a effectivement eu un. Mais que l'école de la gomme à effacer a triomphé. Point à la ligne. On passe à un autre appel.

◀ Ah, le café Adler, ce qu'il en a entendu des histoires d'espionnage ! C'est là que les grands « maniganceux » de l'Est et de l'Ouest se réunissaient pour discuter du passage d'un *kamerad* dans un cercueil ou à l'intérieur du double coffre arrière d'une voiture Volkswagen. En 1996, faute de grenouillage politique, le café Adler vendait son café 5 $ la tasse !

Des « ignorants » bien informés

C'est simple, comme témoin de cette époque, il ne reste que le Reichtag (il sera restauré parce qu'on va déménager une autre fois le gouvernement de Bonn à Berlin) et le stade des Olympiques de 1936, qui est toujours là, d'un seul bloc. Ça n'a pas de bon sens ! ¶ Tant qu'à nourrir ma colère, je suis allé du côté de Nuremberg. Pendant une heure, je me suis tortillé à demander aux passants où se trouvait le palais de justice au sein duquel s'était instruit le fameux procès de Nuremberg. Personne ne pouvait me le dire. Mon impression, c'est qu'ils n'ont pas envie d'en parler. Ils jouent aux ignorants ou bien ils l'ignorent effectivement (je sais qu'à l'école on ne leur apprend même plus ce chapitre de l'histoire de l'Allemagne). Heureusement, j'ai fini par rencontrer un jeune étudiant qui a eu la gentillesse de me guider. ¶ À Nuremberg, j'ai eu beaucoup de difficulté à la trouver, cette grande place où Hitler rassemblait ses soldats et fanatisait les foules. Dans les visites guidées, on passe devant et on n'en parle même pas ! Elle était encore intacte, pas du tout retouchée depuis les années 30, avec sa magnifique architecture gréco-romaine (enfin, plus romaine que gréco). On s'en sert maintenant pour faire des concerts rock, mais en règle générale, c'est un lieu oublié qu'on refuse de voir. Pourquoi ne pas le restaurer et s'en servir à des fins positives ? ¶ J'ai vécu les mêmes problèmes en voulant me rendre au fameux « nid d'aigle » d'Hitler, qui a été démoli par les Américains à la Libération parce que des nazis s'y dissimulaient encore. On l'a reconstruit pierre par pierre et on en a fait un restaurant. À ce sujet aussi, pourtant, les Allemands restent cois. Ils devraient dire : « Oui, on a un

superbe restaurant là-haut ; il n'a rien à voir avec Adolf. » C'est tout. En tout cas, le restaurant en question ne peut se fier sur les Allemands pour en faire la publicité ! Ces obstacles face à tout ce qui réfère à Hitler irritent celui ou celle qui veut savoir. Je ne veux quand même pas aller lever le bras et faire le signe nazi ! Je suis simplement un amant de l'histoire et je trouve normal qu'un amant de l'histoire veuille voir.

Où sont les témoins du passé ?

Le camp de concentration multiethnique de Dachau, situé près de Munich, est un autre endroit terriblement difficile à visiter. S'y retrouver invite à la réflexion. Il faut en arpenter les quartiers pour revivre les atrocités vécues par le peuple juif. On y trouve encore des chambres à gaz, des directives inscrites sur les murs. Je suis sorti de là avec les épaules lourdes. C'était très prenant. Presque irréel. J'aurais aimé aller à Auschwitz, en Pologne ; je suis sûr que c'est encore plus lugubre. Pourquoi visiter ça si c'est si lugubre, me direz-vous ? Bien justement. Pour rappeler que des gens ont été assez fous pour suivre de tels malades et causer des dégâts humanitaires de la sorte, ça prend un témoin comme celui-là. Je vous le dis, il n'y a pas que les humains qui parlent. ¶ Croyez-moi, ça fait mal au cœur de se rendre compte que, dans ce grand pays qu'on s'affaire à reconstruire, les bulldozers effacent toute trace du passé. C'est d'une tristesse... Ce n'est pas en détruisant les bâtisses que les nazis ont occupées qu'on va exorciser l'histoire. À la limite, on aurait pu tenter de mettre dans l'ombre le symbole que portaient ces édifices et se concentrer, disons, sur la valeur architecturale qu'ils ont. ¶ Je n'arrive pas à comprendre.

Je sais qu'il y a eu un mouvement de contestation envers Napoléon en France, mais si l'on avait démoli tout ce que Napoléon avait bâti, y avez-vous pensé! Aujourd'hui, on est très heureux de se rendre compte que Napoléon n'était pas un tyran ; en fait, c'était un grand bâtisseur aussi. Il a fait des guerres sans jamais attaquer le premier, il a ruiné son pays ; d'accord, il n'a rien fait de comparable avec ce qu'a fait Hitler, mais les Français ont au moins eu la décence de conserver et d'entretenir ces témoins du passé, reconnaissant qu'ils faisaient partie d'un chapitre de l'histoire de leur pays.

▶ Ce sont les soldats russes qui ont trouvé cette veste d'Adolf Hitler dans son bunker de Berlin alors que ses collaborateurs venaient tout juste d'imbiber son corps pour le brûler. Elle a été présentée pour la première fois au monde occidental en juillet 1995, à Bruxelles, lors d'une imposante exposition sur le 50ᵉ anniversaire de la fin de la guerre.

① Ce qu'on appelait le mur de la honte n'a plus que deux kilomètres de long. Un souvenir ponctué de graffitis qui rappellent 1989, l'année où on l'a fait tomber. ② Ce chaînon qui encercle cette église de Berlin, témoin des bombardements alliés, représente l'unité entre l'Est et l'Ouest. Petit à petit, les Allemands effacent tout ce qui a trait à la Seconde Guerre ou à la guerre froide. Par exemple, un débat, au moment où je suis passé en août 1996, prévalait, à savoir si l'on devait reconstruire le bunker d'Hitler, question de rappeler qu'il s'est enlevé la vie, là, sous terre. Les tenants de la « gomme à effacer » ont vite remporté la victoire, comme si l'on voulait oublier l'existence d'Adolf Hitler. Bêtise pour bêtise, n'est-ce pas ?

① Ici se trouvait Checkpoint Charlie, l'entrée principale vers le Berlin-Est du temps. Le drapeau communiste de l'Allemagne de l'Est, avec son étoile, rappelle la satellisation de ce territoire par Moscou.

② BERCHTESGADEN (*Bavière*), été 1995. Rebâti avec les mêmes pierres après que les Alliés l'eurent démoli, le fameux « nid d'aigle » d'Adolf Hitler a été transformé en restaurant. On n'y trouve aucun détail sur les séjours du fürher. On n'y raconte rien non plus sur Eva Braun, qui s'y reposait avec ses amies de filles.

① Un village typique de l'Allemagne. Ici, malheur à celui qui entre chez lui après avoir pris une cuite. Nul doute aussi qu'à habiter des lieux semblables on élimine vite l'envie du voisin.

② Maintenant que le mur de Berlin et l'empire soviétique sont tombés, les citoyens de l'ancienne ville de l'Est se retrouvent avec un incroyable stock à écouler au rabais. Pourquoi pas des képis portés par ces forces de l'ordre qui faisaient peur au monde ?

③ Le stade des Olympiques de 1936, construit par Adolf Hitler.

④ Du haut de la tour d'observation de Munich, vous admirez cet ensemble olympique qui rappelle les Jeux de 1972 et nous ramène aussi à ce triste moment où un commando palestinien était venu faire des dégâts en s'en prenant tant aux athlètes israéliens qu'à la police allemande.

L'Italie

Ah ! Sophia... Ah ! Gina...

Lorsque j'ai mis les pieds en Italie, j'arrivais d'un séjour de trois mois en Afrique où les conditions de vie, bien que palpitantes, étaient assez rudimentaires, merci. C'est bien simple, en descendant à Rome, j'ai eu l'impression de franchir la porte du paradis. Une longue et fabuleuse trame historique s'est alors offerte à mes yeux. Chose certaine, le maniaque d'histoire et de vestiges du passé était servi ! ¶ Je suis demeuré complètement bouche bée devant le Colisée, les vieilles abbayes. Je me suis exclamé à la vue de ces gigantesques monuments, devant tous ces symboles qui me ramenaient chez les empereurs de la Rome antique, chez les premiers chrétiens, chez l'unificateur Garibaldi, chez Benito Mussolini, voire chez Sophia Loren et chez Gina Lollobrigida, qui ont établi avec tant de distinction la réputation de la beauté italienne partout dans le monde. Tant de gens s'imaginent que l'Italie n'est que le quartier général de la mafia... Les pauvres.

Un pays passé maître dans l'art du raffinement

L'Italie, c'est le pays aux paysages dignes des grands peintres de la Renaissance, des gens heureux qui chantent du matin au soir, des spaghettis de toutes les couleurs (et apprêtés de mille savoureuses façons), des paparazzi dont nous a si souvent parlé Brigitte Bardot après y avoir mis les

◄ La tour de Pise penche toujours du même côté. Un peu comme la Cour suprême, aurait sans doute ajouté Maurice Duplessis.

pieds... Avec ses cyprès, ses horizons verts, ses magnifiques statues, l'Italie, croyez-moi, a de quoi enchanter n'importe qui. Michel-Ange a laissé ici et là des œuvres magnifiques, devenues au fil du temps des machines à sous pour l'industrie touristique. ¶ L'Italie, c'est Rome et le chef-lieu d'une grande religion en perte de vitesse, en perte de militants actifs, mais qui possède encore des croyants trop paresseux pour pratiquer ou d'autres qui s'interrogent constamment à savoir si Jésus était vraiment le fils-de-Dieu-qui-a-enjoint-à-Pierre-d'aller-poser-la-première-pierre-à-partir-de-laquelle-il-bâtirait-son-Église. Rome, c'est un tintamarre de klaxons, une circulation anarchique, une armée d'affriolantes péripatéticiennes qui attirent dans les parcs ou dans les hôtels tout homme qui veut explorer encore mieux les dessous de la latinité.

Saint Pierre, es-tu là ?

C'est la Mecque des catholiques du monde entier. Que de prières et de murmures ont été entendus dans cette basilique ! Des gens aux origines diverses, aux langues multiples, méditent, commentent, admirent les lieux. ¶ Le Vatican est immense. Certains diront qu'il regorge de richesses, mais tout est bien relatif. Le Vatican se doit d'être ce qu'il est, ne serait-ce que pour entretenir la foi de ceux et celles qui croient que saint Pierre est bel et bien là, sous son autel, et que celui-ci reçut sa mission de Jésus-Christ. Ne serait-ce que pour ça, il fallait que ce soit beau et grandiose. Et puis, cette beauté aux 284 colonnes n'est-elle pas l'œuvre de

Michel-Ange ? Alors, comment le Vatican aurait-il pu être laid ?

Venise : l'amour, toujours l'amour

Il faut être amoureux lorsqu'on visite Venise. En effet, tout est trop beau et trop raffiné pour qu'on s'y retrouve seul. On entend jouer de la mandoline partout pendant qu'on mange en tête à tête. C'est tellement poétique ! Si vous n'êtes pas avec votre blonde ou votre chum, ou si vous êtes sur le point de rompre votre relation, inutile d'aller à Venise. Votre voyage va être loupé ! ¶ La première fois que j'y suis allé, j'étais amoureux. J'y avais emmené Marie-Claire, ma chère Acadienne. La deuxième fois aussi, j'étais amoureux, mais ça tirait un peu à sa fin. Ma compagne de voyage était alors Nicole Moquin, une petite femme de Longueuil que j'avais rencontrée au Pacha, un bar *in* — à l'époque — ayant pignon sur rue de Maisonneuve. Elle m'avait dit qu'elle n'était jamais allée en Europe et je lui avais promis, à mon départ pour l'Afrique, que je ferais en sorte qu'elle me rejoigne en Italie quelques mois plus tard. J'ai tenu promesse. Je l'ai dit : je suis peut-être un grand parleur, mais je suis aussi un grand faiseur.

① VENISE. Une ville chantée par tous les romantiques, mais aussi par Aznavour, qui la trouvait « triste au temps des amours mortes ». ② VENISE. Le fameux pont des Soupirs date de du XVIIᵉ siècle et doit son nom aux gémissements des condamnés à mort. ③ Juin 1983. Venise, ville des amoureux du monde. Qui ne rêve pas d'y mettre les pieds ? Si, pour certains, les chutes Niagara sont la référence en matière de lune de miel, Venise l'est pour les amoureux peut-être un peu plus fortunés. Ici, tout le monde chante. On se croirait à l'intérieur d'une scène d'opéra.

poétique

① À Montréal, il y a eu le balcon du général. À Vérone, depuis belle lurette, se trouve le balcon de Juliette. ② Elles sont là, les 284 colonnes. Comment le Vatican aurait-il pu être laid ?

①

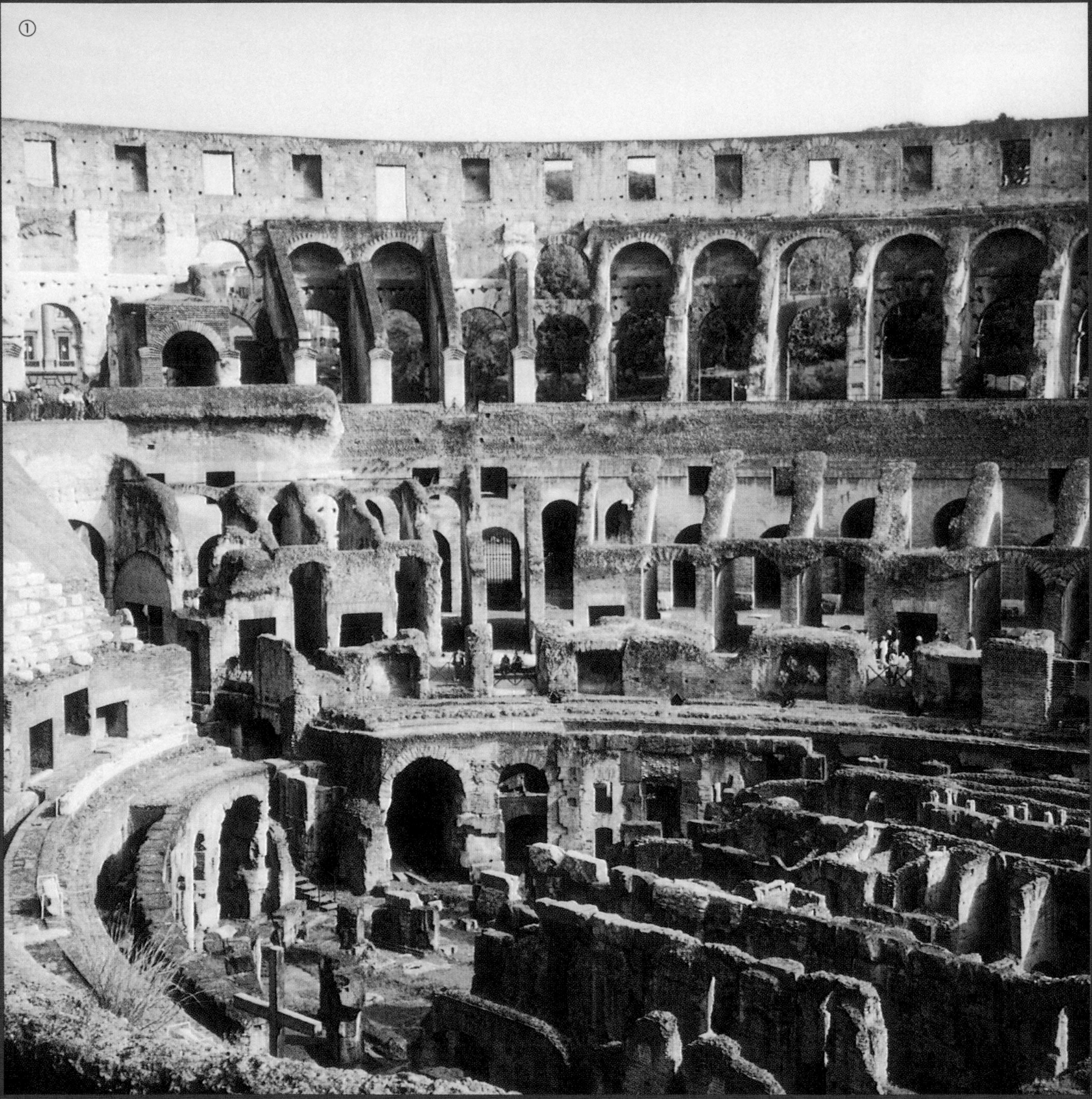

① COLISÉE DE ROME. Ah ! si ces pierres pouvaient parler,
nous raconter ces affreux combats où, chaque dimanche, lions
et chrétiens s'affrontaient... ② PALERME. Les catacombes du
Convento dei Cappucini. Environ 8 000 cadavres des années
1850 s'y trouvent encore. On les a même vêtus du genre d'habits
qu'ils portaient à l'époque. L'air exceptionnellement sec de ces
catacombes a contribué à la conservation excellente de ces
cadavres. ③ SYRACUSE. D'autres catacombes où sont entassés
les premiers chrétiens terrorisés. ④ POMPÉI. Une victime de
la foudroyante éruption du Vésuve, en 79 après Jésus-Christ.

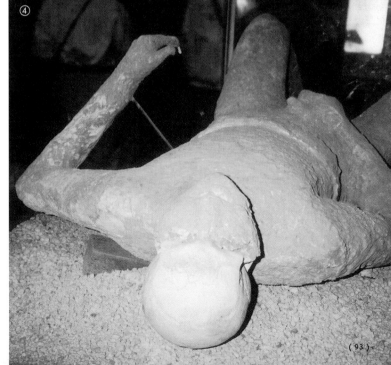

La République tchèque et la Slovaquie

Pays qui me rappellent l'ancien communisme orthodoxe

Je n'avais pas visité la Tchécoslovaquie, celle de la fin des années 1960, avec ses chars d'assaut ; celle dirigée par Dubcek, qui tentait de s'orienter vers un « socialisme à visage humain » ; celle qui, le 1er janvier 1993, fut divisée en deux États indépendants, la Slovaquie et la République tchèque. ¶ Lorsque ces pays ont divorcé à l'amiable — pour cette raison, d'ailleurs, on les cite souvent dans les discours indépendantistes —, c'est la République tchèque qui m'apparaît en avoir le plus profité. Elle vit un essor certain. Peut-être à cause d'un riche patrimoine, d'une architecture particulière, de ses impressionnantes cathédrales qui attirent les touristes du monde entier ? Chose certaine, ces dernières années, on a senti comme une rage de découvrir Prague, le café de Prague, la ville des espions, le *no man's land* où se rencontraient Soviétiques et Allemands de l'Est, le champ de bataille d'Austerlitz, qui attire encore des milliers de touristes. En effet, la République tchèque est devenue de plus en plus populaire. Peut-être parce que son accès a été limité pendant si longtemps ? (Le « vrai » tourisme n'est ouvert que depuis 1990.) ¶ Toutefois, j'ai remarqué qu'à Bratislava, en Slovaquie, l'épanouissement et le développement économique n'ont pas été aussi marqués qu'en République tchèque. Peut-être la Slovaquie a-t-elle moins de ressources, d'industries lourdes que sa consœur ? Honnêtement, je ne sais pas. Je sais que la Slovaquie est célèbre pour ses grands traités signés à l'époque des guerres napoléoniennes, qu'on y trouve bien quelques édifices intéressants (à Bratislava, entre autres) ; elle me rappelle aussi les frères Stastny, qu'on est allés chercher en cachette pour les emmener jouer pour les Nordiques, mais c'est un peu tout ce que j'ai retenu de ce nouvel État où je n'ai fait que passer. J'y retournerai !

◄ PRAGUE, 1996. Dans mes souvenirs de jeunesse, Prague était une ville dure du bloc de l'Est, encore plus orthodoxe que la Moscou de Staline, une ville de joueurs de hockey. Mais Prague est tellement plus que ça !

① PRAGUE. Place de la Vieille-Ville.

② LE PONT JOSEPH. Nombre d'artistes et

d'amoureux viennent y flâner.

① Juin 1994. La photo dont je vous parlais dans mon texte d'introduction et qui m'a coûté tant de sueurs. ② Sur cette butte, une petite chapelle et un vieux canon de Napoléon datant de la bataille d'Austerlitz. ③ Coucher de soleil sur Prague, où la cathé-drale veille sur les deux rives. ④ RÉPUBLIQUE TCHÈQUE. À une heure et demie de la capitale, le mausolée en hommage aux armées russe, autrichienne et française qui se sont affrontées à Austerlitz le 2 décembre 1805.

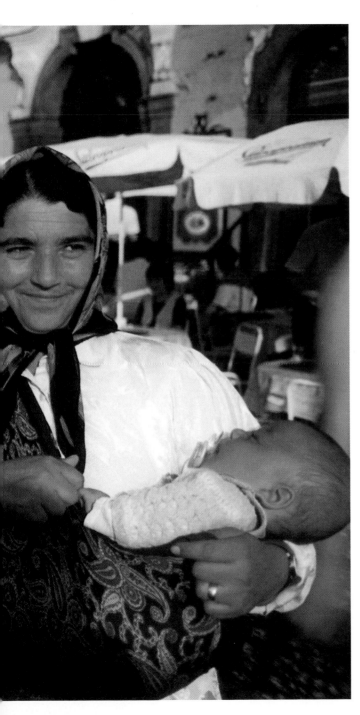

◀ Août 1996. Des gitanes dans les rues de Prague.

◄ VIENNE (*Autriche*).
Les jardins du château de
Schönbrunn, d'où Louis XVI
a fait venir Marie-Antoinette
et Napoléon, Marie-Louise.

① VIENNE *(Autriche)*. Boutique de fleurs dans une ville d'un grand raffinement.

② BUDAPEST *(Hongrie)*. Des tourtereaux qui se foutent bien des regards obliques dirigés vers leur banc public.

① BUDAPEST *(Hongrie)*. Une ville que j'ai toujours associée à la musique tzigane. J'ai été servi. ② À Budapest, on a fait appel au raffinement italien pour construire cette unique maison de parlementeries.

① MOSTAR *(ex-Yougoslavie)*, en 1970. Alors qu'elle faisait la gloire du pays du maréchal Tito, cette ville hautement touristique fut complètement réduite à néant. Plusieurs heures ont été nécessaires à la destruction de ce pont médiéval. Un bel hommage au génie de la bêtise humaine. ② BOSNIE *(ex-Yougoslavie)*, 1994. Nous avons dû attendre plusieurs heures l'arrivée d'ingénieurs-soldats de l'ONU ; ils ont construit ce pont temporaire, puisque le pont voisin avait été détruit la nuit précédente. ③ CROATIE *(ex-Yougoslavie)*, 1994. Les Serbes venaient tout juste de passer à la chasse de familles croates. Mais la vengeance de ces derniers est vite venue. Résultat : chaque famille visée avait deux heures pour sortir ses biens et foutre le camp. Les occupants n'avaient pas grand-chance d'y revenir, car le terrain était complètement miné.

③

▶ MOSCOU *(Russie)*. La célèbre basilique de Saint-Basile-le-Bienheureux. La légende veut que Basile le Bienheureux se soit fait crever les yeux pour qu'il soit incapable de reproduire un chef-d'œuvre comparable. Les sept coupoles de ce fabuleux lieu de recueillement donnent un peu de vie à Moscou-la-grise.

① KIEV *(Ukraine)*, août 1988. Cette ville a été tour à tour mongole, lituanienne, polonaise, russe et enfin ukrainienne. Avec de telles bousculades, on comprendra pourquoi elle est devenue un foyer du nationalisme. ② MOSCOU *(Russie)*. Le tombeau de Lénine en novembre 1986. Pour combien de temps encore ces soldats, qui ont changé d'étiquette idéologique défileront-ils devant le maître d'une idéologie qui n'existe plus ?

La Grèce

Un passé qui se visite en moins de deux

Quand je retourne à Rome, à Londres ou à Paris, j'ai toujours l'impression que mes visites sont sans fin. Ces villes regorgent de références historiques et ça, vous le savez désormais, ça me parle. ¶ Il y a cependant une chose que je trouve curieuse : ça fait trois fois que je vais à Athènes, et, chaque fois, je trouve que son « centre historique » est compact. Dans ma tête, les vestiges d'Athènes, c'était immense, mais je vous le dis, en vérité, c'est tout petit. Il y a l'Acropole qui, malgré son gigantisme et son âge vénérable, m'a laissé froid. Après tout, l'Acropole n'est quand même qu'une rangée de colonnes à ciel ouvert (j'exagère à peine). Il y a aussi le parlement, un amphithéâtre ou deux, et c'est tout. On peut facilement en faire le tour en une journée ! ¶ Érigée dans une véritable cuvette de pierre, la capitale grecque n'est pratiquement pas visitable l'été tellement la chaleur y est torride. Il n'y a pas beaucoup de verdure, peu d'arbres, et on dit que c'est l'une des villes les plus chaudes au monde. Plus qu'Alexandrie ? Plus qu'Alger ? J'en doute.

Les Météores

En 1994, quand je suis allé en Grèce, j'ai opté pour un forfait de huit jours en bateau. Je suis allé dans les Cyclades, à Santorin, à Paros... Je me suis rendu jusqu'en Turquie. Plus récemment, au printemps 1997, ma blonde Marie-Andrée et moi avons loué une bagnole. Nous avons mis le cap sur les Météores, qui sont situées à sept heures de route d'Athènes. ¶ Les Météores, vraiment, ça c'est unique. Dans ces monastères juchés au sommet de pics rocheux, on se fabrique une foi grâce à l'obéissance, à la flagellation et au sacrifice. Probablement en raison des menaces des Turcs, mais aussi pour s'approcher du Créateur, dit-on, des moines se sont installés au sommet de ces pics rocheux et ont passé leur vie là, en réclusion. Pendant des décennies, ils ont fait monter, par câble, leur nourriture et les articles nécessaires à leurs besoins quotidiens en vue d'éviter tout contact avec les gens d'en bas. ¶ À une certaine époque, de ces monastères, il y en avait 46. Aujourd'hui, on n'en trouve plus que six, tous plus magnifiques les uns que les autres et rendus accessibles au grand public. Ils datent de 500 ou 600 ans après Jésus-Christ. ¶ La vie monacale est pénible. Elle sollicite le pardon par la prière incessante. Dans ces monastères, on n'entend que des murmures de récitation de chapelets, comme dans le bon vieux temps de nos églises. Ces prières des moines évoquent le combat incessant entre le bien et le mal. Dans les chapelles, des immenses icônes peintes sur les murs brillent dans les flammes vacillantes des chandelles, pour mieux permettre aux apôtres une pratique secrète. Vous comprendrez qu'il n'est pas facile, dans ces conditions, de les photographier. ¶ Sachez que si ces endroits sont à ce point inaccessibles, c'était également pour permettre aux moines de mieux cacher leurs trésors. Par exemple, on dit qu'au monastère de Carlaam se trouverait, enfoui dans le fond d'un coffre bien gardé, un évangile écrit en 959 après Jésus-Christ par l'empereur Constantin.

◀ L'un des rares monastères qui ont survécu domine la ville de Meteora.

① RHODES. Mosquée un peu défraîchie. ② Croyez-moi,
ils sont rares les visiteurs qui peuvent croquer sur le vif l'un des
moines vivant dans les monastères des Météores…

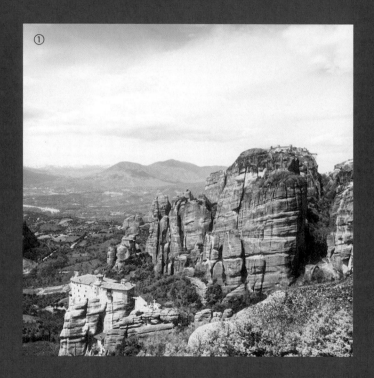

① Dans cette « forêt de pics », six monastères sont encore en service sur les 46 qui existaient originellement. ② Un paysage à la fois magnifique et lugubre. Nous sommes sur le chemin menant au monastère des Météores.

① Depuis Ulysse, combien de bateaux sont partis de ce port pour aller à l'aventure et ne jamais en revenir ? ② SANTORIN, mai 1995. Belle à couper le souffle ! Cette île principale des Cyclades fait encore jaser les experts et les amateurs d'histoire ancienne. La rumeur veut qu'Atlantide se soit affaissée dans la mer, au large de Santorin. Par contre, si vous allez au large de Tanger, au Maroc, on vous racontera une histoire semblable !

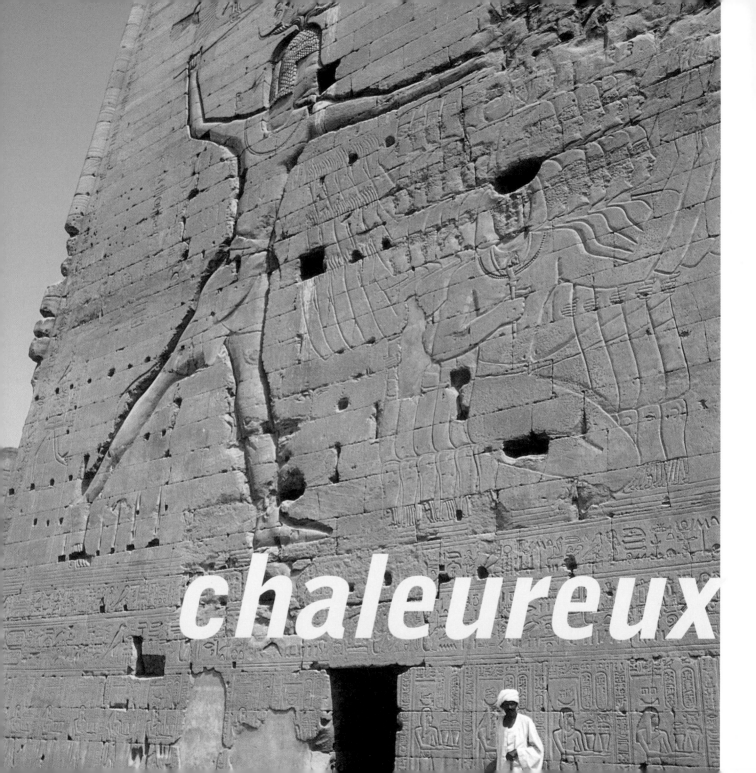

chaleureux

L'Égypte

Un accueil chaleureux ou foudroyant

Depuis plus de 3 000 ans, l'Égypte fascine le monde. Des Pharaons, qui ont laissé tant de calcaire et des témoins de taille, à nos jours, la « patrie du soleil » est placée au carrefour de trois mondes : l'Occident, l'Afrique et l'Islam. Mais attention, ce pays est aussi la cible d'un bataillon d'intégristes qui souhaitent le faire basculer dans le club des purs et durs. ¶ Lors de ma première visite en Égypte, en 1974 (avec ma deuxième épouse, Marie-Louise Perreault), un Américain à l'aéroport s'était moqué de gens agenouillés qui se concentraient à quelque prosternation religieuse. Jamais je n'oublierai cette scène : un Arabe a interrompu ses prières, s'est levé, a sorti un couteau de sa robe, et a planté un poignard dans les parties génitales de l'Américain. Pour tous les témoins, le message fut clair : « Ne vous avisez pas de rire de ceux qui veulent conserver leurs traditions. » ¶ Elle se résume un peu à cela, l'activité des intégristes : mettre de l'avant un pouvoir ultra-conservateur et idéologiquement religieux, s'éloigner du matérialisme, de la consommation, de Paris et de Washington, deux capitales « sataniques » à leurs yeux. Depuis quelques années, les touristes y pensent deux fois plutôt qu'une avant de se rendre en Égypte. Et ils s'en ressentent, ces pauvres Égyptiens : l'industrie touristique en souffre énormément. À la lumière des actions des intégristes, par peur, désormais, on a plutôt tendance à choisir une autre destination. ¶ Quand j'y suis retourné, en 1997, j'ai évidemment réfléchi à tout ça. Pas très longtemps. Vous savez, dans les actualités, pendant la Crise d'octobre, on a dit que des bombes explosaient au Québec. Ça ne veut pas dire que ça sautait à tous les coins de rues ! J'ai bien fait de ne pas avoir peur ; la vérité, c'est que les Égyptiens sont très heureux de vous accueillir, vous font voir les plus beaux lieux, et l'armée est omniprésente. Face aux menaces des intégristes, elle protège les vestiges du passé dont sont friands les visiteurs. Aux yeux des intégristes, il faudrait démolir tout ça ; il s'agit d'un passé pharaonique qui ne fait qu'encourager le capitalisme et les touristes incultes à culottes courtes à les envahir, à les déranger dans leur recherche d'obéissance religieuse. ¶ On dit que l'Égypte ne reçoit que deux millions de touristes sur une base annuelle… Vous imaginez, à elle seule, la tour Eiffel en reçoit plus de six millions ! C'est triste. Ce pays, historiquement, a beaucoup à offrir. Et bien que l'Égypte entretienne toujours ses vieilles traditions, on a relevé quelques tentatives de modernisation. La veuve d'Anouar El Sadate, par exemple, se bat pour l'épanouissement des femmes. Il y a bien du chemin de parcouru ; on retrouve des femmes dans la police, dans l'armée, mais il y a encore beaucoup à faire à l'extérieur des grands centres où le message, visiblement, ne passe pas. Dans les campagnes, j'ai trouvé plutôt choquant de voir ces

◀ Construit en hommage à la très populaire déesse Isis, le temple de Philae a été sauvé des eaux lors de la construction du nouveau barrage d'Assouan, en 1980, par une équipe italienne qui l'a réinstallé à Agilkia, île enchanteresse mais bouillante comme l'enfer. Le jour de ma visite, il faisait 46 °C. En avril.

femmes lourdement vêtues de noir, marchant derrière leur mari, leurs enfants et même derrière les bêtes.

Pyramides de Gizeh... ou du Caire ?

Le Caire est une mégapole insatiable qui se rapproche jour après jour de la nécropole Gizeh et de ses pyramides. Il y a 20 ans, lorsque j'y suis allé pour la première fois, il me semblait que le complexe de Gizeh, qui fait partie des sept merveilles du monde, constituait une lointaine banlieue. ¶ Aujourd'hui, la ville se retrouve dangereusement collée aux chefs-d'œuvre des Pharaons. Je trouve que Le Caire est une ville invivable, une ville dont la densité est trop forte, qui dégage de puissants effluves d'essence, de poussière, d'urine, d'épices et de friture à la fois. Un parfum capiteux, n'est-ce pas ! ¶ Le Caire, c'est aussi une circulation démentielle où les règles n'existent pour personne pourvu que chacun sache faire sa place en coupant le chemin de l'un ou de l'autre. Les feux rouges, décoratifs, amènent piétons et automobilistes à se livrer une compétition constante devant des policiers dont les sifflets ne fonctionnent même pas. Bref, on est tellement tassés au Caire que, en plus de superposer des logements improvisés au-dessus des immeubles, les Cairotes ont commencé à s'installer... dans les cimetières.

insatiable

① Souvenirs d'Égypte. ② ABOU SIMBEL. Des monuments colossaux qu'a fait construire Ramsès II pour son épouse Néfertari. Ironie du sort, cette dernière a rendu l'âme le jour où cette œuvre devait être inaugurée.

① En 1798, Napoléon conquit l'Égypte, mais fut obligé de se retirer après la bataille navale qui eut lieu à Abu Kabir, une ville située près d'Alexandrie. Contrairement à la croyance populaire, le nez du Sphinx n'aurait pas été détruit par ses soldats, mais bien par les Mamelouks contre qui ils se battaient. ② Frontière soudanaise. Le grand temple d'Abou Simbel, où l'on accède par avion, la route étant longue et trop brûlante.

◀ Sur le Nil, au large de l'île Éléphantine, des felouques voguent comme au temps des Pharaons.

Ramsès, au milieu du temple de Karnak.

① Taillé à même le rocher de Deir el-Bahari, le temple d'Hatshepsout. ② Des égyptologues faisant partie de l'armée de Napoléon se sont rendus jusque dans l'archi-sud de l'Égypte pour y laisser leur marque. ③ Temple de Karnak. Un gardien qui ne voulait pas se faire photographier… à moins de recevoir quelque monnaie.

③

① Les moyens de transport, d'hier à aujourd'hui. ② Son meilleur profil ?

Tomber en amour en voyage

À 30 ans, je suis allé faire un stage en France. Au cours de ce voyage, j'ai abouti en Israël où j'ai eu une belle aventure. Je vous raconte. ◉ J'arrive là-bas — j'ai en ma possession quelques centaines de dollars pour passer 21 jours — et m'installe dans un hôtel un peu douteux. Je flanque mon linge dans un placard; un peu naïvement, je laisse mon argent dans une poche de chemise et ne me garde que quelque 150 $ pour aller faire un petit tour, me baigner et faire de la photo. Je reviens quelques heures plus tard et mon argent n'est plus là. Je pique une crise à l'hôtelier qui a l'air d'un gros ripou mal léché, aussi douteux que son hôtel. Je fais venir la police, le tenancier met le vol sur le dos d'une pauvre femme de chambre palestinienne qu'il congédie sur-le-champ. ◉ À mon avis, c'est lui le coupable. ◉ Toujours est-il que me voilà pris avec 150 piastres pour passer 21 jours. Je quitte l'hôtel et m'installe dans une pension où le petit déjeuner est inclus. Je calcule tout à la cenne près; je crois être en mesure d'y arriver, mais je me rends bien compte que ça va être difficile. Je m'en vais à la plage, je vois une belle fille qui se baigne, je sors mon appareil et mon téléobjectif. Elle me voit, me sourit, mais ça ne va pas plus loin que ça. ◉ Je vais me baigner, reviens, passe devant elle, elle m'interpelle : « Vous êtes Allemand ? » Je lui réponds que je suis francophone et là on se met à parler. Je la trouve très sympathique et, en plus, c'est une super belle fille. Elle a 20 ans et s'appelle Janis. Au bout d'une heure, je lui dis : « J'aurais bien aimé t'inviter à souper, mais je me suis fait voler tout mon argent. » Elle rétorque que ce n'est pas un problème (en fait, elle offre de payer le souper) ; elle est la fille d'un richissime Américain, elle vient de Stamford (Connecticut) et son père l'a envoyée en Israël travailler dans un kibboutz. Elle profite de quelques jours de vacances avant de s'y rendre. C'est le coup de foudre, littéralement. Nous tombons follement amoureux l'un de l'autre. ☉

Des amours de vacances, c'est toujours quelque chose de merveilleux. Toutefois, au bout d'une semaine, moi, je dus rentrer. J'avais une tournée à faire en Israël et je la quittai. « Laisse-moi tes coordonnées, qu'elle me dit. Écris-moi en français, je veux apprendre le français, je vais t'écrire en anglais. » ☉ Trois semaines plus tard, elle m'annonça qu'elle en avait ras-le-bol du kibboutz et qu'elle venait me rejoindre à Paris. J'étais bien content, je voulais la convaincre de me suivre à Montréal. Elle pouvait s'inscrire à McGill, suivre un cours de français (ah ! quand on est jeune, on peut avoir de ces idées !). ☉ Finalement, elle est rentrée à Stamford. Je n'ai pas compris le mystère à l'époque. Je lui ai envoyé des photos que j'avais faites d'elle, mais je n'ai jamais obtenu de réponse de sa part. Peut-être ses parents sont-ils intervenus en lui disant qu'étant une fille de famille bourgeoise, il vaudrait mieux qu'elle regarde plus haut que moi. Je n'étais au fond qu'un simple reporter. ☉ Je n'ai jamais entendu reparler d'elle, sauf — c'est drôle, hein — une quinzaine d'années plus tard. Elle est venue à Montréal, a su que je travaillais à la radio et a réussi à me joindre. Elle était mariée, j'étais marié aussi, j'avais même un fils. On s'était rencontrés pour jaser, pour se rappeler nos amours de vacances. Qui sait, si ses parents n'avaient pas levé le nez sur moi, nous serions peut-être encore ensemble (c'est une blague ; en vérité, deux ou trois ans, c'est pas mal mon record) ! ☉ Elle m'a longtemps occupé le cœur, mais là, tant d'années avaient passé... On avait fait notre vie, chacun de notre côté. Il ne fallait pas être nostalgique.

Israël

Pays de solidarité, de combativité

Israël, terre d'histoire, terre biblique. Israël, terre de conflits, terre promise! Un voyage en ce pays, ce n'est pas seulement la concrétisation d'une brochure touristique. Visiter Israël, c'est pénétrer dans le Grand Livre d'histoire. ¶ Marqué par le poids des siècles, ce vaillant petit pays, en dépit de toutes les invasions, s'est montré plus acharné que quiconque à conserver son âme. Israël, qui a ressuscité des profondeurs du temps sa langue nationale et l'a rendue officielle, a toute une leçon à donner aux Québécois, qui assassinent la leur à petit feu avec une loi 101 moribonde. ¶ Du sommet du mont des Oliviers, pas très haut, un indescriptible sentiment de piété m'a envahi. Témoin du spectacle de Jérusalem qui s'offrait à mes yeux, je me disais que n'importe qui, ici, peut se surprendre à se recueillir, implorer Dieu, appliquer ses commandements... Trois mille ans d'histoire étaient là à mes pieds! Cela dit, ces lieux saints étant désormais voués au commerce, je m'interroge: faudrait-il ramener Jésus dans le décor pour qu'il chasse de nouveau les vendeurs du temple?

Un peuple direct

Ce pays réunit un petit peuple diversifié dont l'armée est reconnue pour sa rapidité à répliquer. Faut dire que les Israéliens respectent les enseignements de l'Ancien Testament. Ici, c'est œil pour œil, dent pour dent; si tu me fais mal, je ne me gênerai pas pour te remettre la monnaie de ta pièce. Étiquetez-moi de fasciste si vous voulez, moi, je trouve ça absolument ad-mi-ra-ble! Au Québec, on se fait donner un coup de pied au derrière et on forme un comité pour étudier le méfait. Eux disent: « Si tu me frappes, je t'envoie mon aviation sur la gueule! » Parlez-moi de gens dont le discours est sans équivoque. ¶ De l'extérieur, ils passent pour un petit peuple arrogant. Et c'est effectivement un petit peuple arrogant: ils ont tendance à l'empiétement. Mais ils sont bien courageux aussi: n'oublions pas qu'ils sont quand même menacés par 150 millions de personnes. On l'a vu depuis les accords entre l'Égypte et Israël, depuis les accords entre Yasser Arafat et Jérusalem: dès que les Palestiniens se sont revirés de bord, ça n'a pas pris de temps, il y a eu des occupations, voire des colonies, des bombes et des coups de feu.

◀ Décembre 1986. Le mur des Lamentations (env. 1000 av. J.-C.). Haut lieu de prières où les Juifs du monde entier viennent implorer Yahvé. Entre ces immenses pierres, placées jadis par les ouvriers de Salomon, troisième roi hébreu et successeur de David, les fidèles glissent des papiers remplis de demandes diverses.

① Site archéologique au bord de la mer Morte. C'est là que, en 1946, un berger à la recherche de son mouton égaré aurait découvert, au fond d'un trou, des grottes qui contenaient, dans des urnes, les manuscrits de la mer Morte! Par la suite, on a constaté que c'est également là que vivaient les Esséniens qui attendaient la fin du monde et que Jésus et Jean le Baptiste jugaient trop fanatiques. ② JÉRUSALEM, Noël 1986. La compagnie Coca-Cola y va de sa distribution quotidienne dans les rues étroites de la ville. Voilà de quoi gazer tout bon catholique pratiquant !

① Une photo bien ordinaire, vous allez me dire. C'est vrai. Mais ce fleuve est le célèbre Jourdain, qui sépare Israël de la Syrie et de la Jordanie. Oui, oui, le fameux Jourdain, là même où Jésus fut baptisé. ② Césarée, bâtie par Hérode le Grand, conquise par les Croisés à l'époque où nos grands chevaliers étaient à la recherche des traces laissées par Jésus.

① PÉTRA *(Jordanie)*. Haut lieu protégé par le gouvernement d'Amman, Pétra regroupe toute une population qui y vit toujours paisiblement comme aux temps anciens. Ces éleveurs de moutons vénèrent également leurs morts qui occupent nombre de lieux dans ces « forteresses du silence ». Situé à quelques kilomètres de la mer Morte, l'endroit est tellement recherché par les touristes du monde entier qu'on doit désormais en contrôler l'accès. Et il n'est plus possible de pénétrer dans le canyon à dos de cheval, comme c'était le cas au moment où cette photo fut prise. La raison : l'amoncellement d'excréments ! ② PÉTRA *(Jordanie)*. Un camp de cavaliers en attente d'un moment propice pour transporter ceux qui voudraient se rendre dans les gorges de Pétra, là où est caché le trésor qui a tant fait jaser Nabatéens et Romains. Même Indiana Jones est passé par là !

① PÉTRA (*Jordanie*). En arrivant à Pétra, on a l'impression d'entrer au paradis. Et selon l'heure où l'on visite ce site, la couleur de la pierre change. Cette remarquable architecture d'influence gréco-romaine fut un temple qui abrita un trésor. Pétra fut, à un moment donné, une riche cité commerçante où tous les caravaniers s'arrêtaient à l'époque où les Nabatéens en ont fait la capitale de leur royaume.

② PALMYRE (*Syrie*). Cette oasis située entre Damas et l'Euphrate, dont le nom signifie « ville des palmiers », réunissait 250 000 habitants à l'époque des Romains. Détruite par les Arabes vers 634, elle a conservé des vestiges composés d'art gréco-romain.

②

① PALMYRE *(Syrie)*. Cette splendide cité, qui cache ses secrets dans ses entrailles, s'est enrichie en exigeant des droits de passage aux commerçants en route pour l'Inde ou pour Damas. ② SUR LA ROUTE DE PALMYRE *(Syrie)*. Le crack des chevaliers.

L e   Y é m e n

Pays sous jeune protection

Contrée appartenant au désert, bordée par la mer Rouge, le Yémen est un véritable royaume d'odeurs. Odeur d'encens, odeur de thé, odeur d'épices et, surtout, odeur de menthe. Celles-ci vous suivent pas à pas, d'une ville à l'autre. Parlant d'odeurs, au Yémen, on peut goûter le qat, une espèce de drogue (douce) hallucinogène que les Yéménites savourent depuis le XIIIe siècle. C'est un arbuste dont les feuilles, lorsqu'on les mastique pendant un certain temps, procurent une sensation d'euphorie. Idéal pour votre première traversée du désert ! ¶ Le Yémen est ponctué de décors magnifiques et intouchés. C'est un pays hautement religieux, au mode de vie très primitif, un pays au régime sec où des adolescents armés de mitraillettes ont l'œil sur tout. Lorsque vous leur demandez ce qu'ils font (ça saute aux yeux, ce ne sont pas des bergers !), ceux-ci vous répondent qu'ils « surveillent leur partie de territoire ». Croyez-moi, c'est frappant de voir des jeunes porter ainsi des armes en plein centre-ville (même si on s'est habitué au fait qu'on se promène avec des armes blanches dans les cours de récréation au Québec). On dit qu'ils sont « chefs de tribus » et surveillent leur « zone d'influence »... comme au Québec où des ados qui suivent la

◀ ① Après des heures à rouler dans le désert, Shibam surgit de nulle part, comme un mirage. ② KAWKABAN. Vue imprenable sur un autre monde. ③ Une scène intouchée depuis des siècles.
④ THULA. Des maisons de pierre entassées sont transpercées par la lumière. Aucune installation moderne.

mode surveillent aussi le prochain coupe-vent President Stone qu'ils vont arracher dans un coin noir à l'un de leurs camarades de classe. ¶ Chacun de ces jeunes, dans son secteur attitré, peut vous « inciter » à lui verser quelques sous, question de « veiller à votre protection ». Je ne dis pas que c'est un pays où magouille une pègre ou une mafia locale, mais c'est assurément un pays où le protectionnisme individualiste s'est développé de façon insoupçonnée ! Au fait, si vous voulez faire un tour dans le désert, assurez-vous d'être escorté de bédouins armés au cas où une quelconque tribu surgirait de nulle part pour vous bloquer le chemin et vous demander gentiment de vider votre portefeuille.

Des « corneilles » envoûtantes

Ici, on dirait que le temps s'est arrêté. Malgré l'ouverture de ses frontières aux visiteurs, au début des années 1990, le Yémen n'a pas encore accueilli 20 000 touristes. Toutefois, je sens que, bientôt, des hordes de photographes en culottes courtes envahiront ce fabuleux héritage qui, durant plus de 10 000 ans, a vu des peuples venus du Moyen-Orient et du reste du monde arpenter sa route des épices et s'émerveiller devant ses splendeurs. ¶ Au Yémen, il est strictement interdit aux femmes de regarder les hommes. Elles sont voilées et ont souvent la tête totalement recouverte. Je vous dis ça parce que j'ai eu le malheur de vouloir photographier l'une de ces séduisantes « corneilles » complètement vêtues de noir (comment font-elles pour supporter cet attirail par une telle chaleur ?), avec leur regard ensorceleur. Un jeune homme armé a vite surgi de nulle part, m'a pris par le collet et m'a indiqué le danger que je courais si je m'avisais à pointer de nouveau mon viseur sur l'une ces beautés voilées. ¶ Décidément, voilà une culture, une identité particulière protégée avec agressivité !

Changez de côté, vous vous êtes trompé

De Sanaa, la capitale, on part en Jeep un bon matin, au lever du soleil, en direction de l'étonnante ville de Shibam. En plein milieu du désert, une chose me saisit littéralement : un trafic intense de camions transportant toutes sortes de marchandises, d'est en ouest et du nord au sud, sur des chemins balisés. Toutefois, malheur à celui qui se perd : il n'y a pas de panneaux indicateurs pour indiquer quelle direction prendre ! ¶ Après neuf heures de route dans le désert, c'est peut-être fascinant de voir ces belles dunes et ces beaux gros camions, mais on se fatigue vite. Voyez-vous, on devient très sale, on a du sable partout sur soi. Puis, tout à coup, c'est l'apothéose : au beau milieu de nulle part, une ville qui ressemble à Manhattan ! Les immeubles ont huit ou neuf étages, mais de loin, on dirait des gratte-ciel. Et quand on pénètre au cœur de Shibam, on se rend compte qu'il n'y a pas d'électricité, qu'on monte l'eau dans des seaux à l'aide de cordes, et que les gens sont toujours installés dans les hauteurs, car au rez-de-chaussée, ce sont les animaux qui ont la priorité. Entre les mosquées au sommet desquelles résonnent les incantations du muezzin chargé d'appeler les fidèles à la prière, des enfants se tiraillent au milieu d'un décor chaud comme un fourneau. Ils sont environ 10 000 personnes à vivre là, au fanal, à la chandelle.

▶ Des enfants s'amusent autour d'un mausolée érigé en hommage à ceux qui ont combattu à l'époque où le Yémen était divisé en deux parties (l'une communiste, l'autre démocratique).

désert

① La priorité de l'actuel gouvernement : désarmer cette population qui aime à se faire croire qu'elle est encore menacée. Ici, un jeune chef de tribu de 11 ans. ② Moyennant quelques dirhams, ce monsieur peut vous refiler un peu de qat pour rendre plus agréable votre traversée du désert.

◀ Près de Saana, la demeure
de l'imam qui, aujourd'hui,
exerce un rôle limité parce que
soumis à l'autorité de l'État.

◀ Un voyage dans le temps. Voilà ce que j'ai fait au pays de la reine de Saba qui, à l'époque de la route des épices, était la grande maîtresse de cette région fertile en activités commerciales. En cette fin du XXᵉ siècle, on a l'impression que rien n'a changé.

► Les Yéménites se contentent
d'un « univers » bien limité.

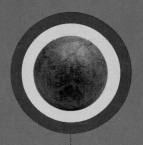

Je m'organise, je me fais organiser

En règle générale, je voyage avec ma blonde du moment. C'est arrivé que j'ai voyagé avec un copain, mon patron Raynald Brière par exemple, ou encore mon fils Nicolas. Souvent, même, je pars seul à la conquête de pays lointains. Évidemment, c'est toujours mieux de voyager avec quelqu'un ou quelqu'une (en fait, surtout... quelqu'une), mais je finis toujours, de toute façon, par rencontrer des gens, jaser, échanger des idées. Il m'arrive également — peut-être une fois par année — de faire des voyages organisés. C'est une façon de me payer des odyssées à saveur particulière que je ne ferais peut-être pas tout seul. Iriez-vous au Tibet tout seul, vous ?

coloré

Le Népal

Pays d'exotisme, pays d'odeurs, pays de sourires

Géographiquement, le Bhoutan, le Tibet et le Népal se ressemblent énormément, mais autrement, ces trois pays affichent une identité très distincte. Au Tibet, le mode de vie assez primitif saute aux yeux au sein de cette population de culture oubliée, surveillée par des Chinois qui la tolèrent pour les dollars touristiques qu'elle rapporte. Le Bhoutan est un pays dissimulé dans le creux des montagnes et auquel on ne pense jamais. C'est un pays vert, écologique, et qui vous le laisse savoir : il ne veut pas voir trop de monde venir souiller sa maison. ¶ Le Népal, bien qu'il fasse partie de ce trio (ils sont tous les trois collés l'un sur l'autre), est le pays le plus coloré, le plus gai, je dirais. C'est le plus bruyant des trois. On y entend une musique continuelle, on y remarque une évidente joie de vivre. Les gens, fort aimables, chaleureux envers les « étranges » que nous sommes, s'habillent de façon multicolore, vivante. Dans ce pays où il y a absence d'oppression, où on a flirté avec la gauche à un moment donné, où on a repoussé les Anglais au lendemain de la Deuxième Guerre mondiale, les habitants ont leur fierté. ¶ Pour combattre sa pauvreté, le Népal a décidé de se consacrer au tourisme. Pour le moment, des circuits sur « le toit du monde », comme celui que je me suis payé à la fin de 1996, ne procurent que 4,5 % du PNB de ce pays qui est un royaume. Alors le Népal (23 millions d'habitants) compte aussi sur la vente d'électricité pour subvenir à ses besoins, et l'agriculture lui rapporte plus de 100 millions $. Isolé à cause de ses « flirts » avec le communisme, le Népal, dont les relations avec ses voisins sont plus ou moins bonnes, vit dans un isolement relatif, ce qui, pour le tourisme, est très recherché.

◀ LE TEMPLE KUMARI *(Katmandou)*. C'est la résidence de la « déesse vivante », une jeune fille malheureuse comme une pierre précieuse, puisqu'elle est prisonnière d'une vieille tradition népalaise en vertu de laquelle elle est condamnée à la réclusion pendant environ un an avant d'être déflorée et remplacée par une autre. Traitée aux petits oignons par une horde de serviteurs, elle n'a le droit de se montrer en public qu'environ 30 secondes par jour. Ici, une jeune fille s'assure que personne, dans la cour du palais de la déesse, ne prendra de photos lorsqu'elle fera son apparition quotidienne.

▶ Lors d'une randonnée sur la rivière, ne soyez pas étonné si, en fin de journée, vous apercevez des guides du parc Royal Chitwan en train de faire prendre un bain à leurs sympatiques pachydermes.

① Des rivières vite asséchées, des lopins de terre tout petits pour la culture du riz.

② Par un court vol d'avion depuis la capitale, vous atteindrez le parc national Royal Chitwan, jadis un terrain de chasse réservé aux maharadjahs. Aujourd'hui, on y offre des safaris-photos. De nombreuses espèces d'animaux (bisons, singes, léopards, crocodiles, tigres royaux du Bengale et rhinocéros) vivent dans ce paradis protégé. À elle seule, la promenade à dos d'éléphant compense pour ces tigres qui se montrent rarement le bout du museau.

① Les temples sont au cœur de la vie des Népalais. Et il faut grimper un long escalier pour vous rendre à celui situé au sommet du Swayambhunath. Préparez-vous à vivre toute une gamme d'émotions en montant. Par exemple, un « charmant » flûtiste fera sortir un beau cobra de son panier ! Malheur à vous si vous le photographiez sans laisser quelques sous... Chemin faisant, j'ai croisé cette belle petite maman de 15 ans, prête à affronter l'avenir avec son rejeton comme seul bagage. ② Grand prédicateur devant l'éternel, ce Jean-Baptiste népalais traîne dans les rues du centre-ville en jurant sur les cinq doigts de sa main droite qu'il dit la vérité, toute la vérité, rien que la vérité. À Katmandou comme ailleurs, on trouve de ces originaux qui vous diront qu'ils sont allés dans l'au-delà sans toutefois pouvoir préciser quel temps il y faisait. ③ « S'il vous plaît, pour quelques roupies, une petite caresse à mon serpent... »

▲ Équivalent de Rome pour les bouddhistes, le Potala est constamment dans la mire de l'armée chinoise. Ce joyau d'architecture est truffé de caméras installées par Pékin afin de rendre compte des moindres faits et gestes des moines. En effet, pour affirmer son autorité auprès de la population, l'armée chinoise veille à ce que les moines se limitent à des activités spirituelles et non politiques.

Le Tibet

Pays oublié où la Chine écrase une culture

Le Tibet est un pays occupé. ¶ Je l'ai senti très vite, dès que j'ai quitté la frontière du Népal — où tout le monde est aimable, heureux d'avoir de la visite — et que j'ai franchi le petit pont qui me conduisait dans les montagnes. Là, immédiatement, des douaniers chinois au visage de glace accueillent, sans façon aucune, le groupe dont je fais partie. ¶ Ma foi, on dirait qu'ils me font une faveur de me laisser visiter ce pays ! Pourtant, ils savent fort bien qu'ils ont besoin de ces moines pour le moins fascinants : ils représentent aux yeux des touristes un attrait certain. En fait, c'est parce que ces Tibétains drapés de bourgogne rapportent des deniers étrangers qu'ils sont tolérés par les Chinois. Ces derniers ont à l'œil, caméra vidéo ou carabine aidant, chaque habitant qui voudrait « passer à l'Ouest » un quelconque appel de détresse. ¶ Qu'ils cessent de s'énerver : la barrière linguistique nous empêche, de toute façon, de fraterniser avec les moines tibétains. Mais si vous jasez avec un disciple du dalaï-lama, ça ne prendra pas de temps qu'un Chinois s'approchera pour vérifier si vous vous limitez à le photographier ou s'il lui faut « intervenir » parce que la conversation s'éternise. Ah ! je vous le jure, faudrait pas que quelqu'un présente une photo du dalaï-lama au grand prêtre du monastère dans le but d'obtenir un autographe ! Il se retrouverait en prison sans procès aucun. D'ailleurs, on nous avise, dès notre arrivée, de ne pas fraterniser avec les moines tibétains. Ils sont tous sous haute surveillance.

J'ai pratiquement traversé le pays de bord en bord pour me rendre à Lhassa, la capitale, un voyage de près de 800 km sur une route tortueuse, ponctuée de nombreux précipices et glaciers, une route qui fait peur, qui donne des étourdissements vu la rareté de l'oxygène. J'ai monté jusqu'à près de 5 250 mètres, vous vous rendez compte ! ¶ Toutes les trois heures environ, il faut traverser des espèces de barrages, où des gueules de bois vérifient les papiers et le nombre d'étrangers qui se trouvent à bord. Lors d'un de ces contrôles, un soldat — probablement envoyé en pénitence par Pékin dans cette « concession » située aux confins de l'empire chinois — fait irruption dans l'autobus avec sa carabine. La cigarette au bec (il n'a pas plus de 18 ans ; en fait, il a l'air d'en avoir 14), il se met à compter. Notre guide lui dit qu'on est 17. Mais ça s'adonne qu'il n'en compte que 16. C'est qu'il y a une femme malade qui s'est couchée sur un banc et on ne la voit évidemment pas de l'avant de l'autobus. ¶ Ben là, il fait une crise. Il ne veut plus nous laisser partir, mais il n'ose pas non plus aller à l'arrière pour vérifier. D'un regard malicieux, haineux, il nous jette une espèce de sort sur la gueule. Il n'aurait pas fallu qu'on le conteste ou qu'on rie de lui. Imaginez, si loin de chez nous, nous nous retrouvons sous le joug d'un gamin qui a le pouvoir de nous enfermer dans une prison locale, sur un plancher de terre, et de nous faire attendre des semaines jusqu'à ce que l'ambassadeur canadien vienne vérifier ce qui se passe. Ça fait peur. ¶ Mais sur le toit du monde, les moments d'inquiétude sont vite effacés par les splendeurs de l'Himalaya.

④

① Des moines en récréation dans la cour du Potala. ② « Voici mon p'tit dernier », semble dire ce jeune père tibétain. Quel avenir est réservé à son fils ? Il apprendra le chinois et répondra à la lettre aux ordres de Pékin. ③ Sur ce visage, le poids des années, mais aussi la marque du vent, du soleil et des expériences de la vie. ④ 5 250 mètres. Il fait froid, très froid et le vent fait baisser le mercure à -30 °C. Ajoutez à cela la rareté de l'oxygène et vous comprendrez qu'ici, dans l'Himalaya, on ne reste pas longtemps dehors !

① Le fameux Everest, point culminant de la Terre avec ses 8 848 mètres bien ancrés dans le massif de l'Himalaya. ② Les Tibétains sont des gens de montagne. Ce n'est pas comme s'ils avaient vraiment le choix ! L'élevage est la rare source de subsistance de ce peuple. Moutons, chèvres et yacks constituent le cheptel de ces gens qui, sous la tente, s'apprêtent à prendre le repas du midi. ③ Peuple rude et fragile à la fois, les Tibétains peuvent être sans merci pour leur propre personne face aux rigueurs du climat et des conditions de vie primitives qu'ils ont à subir. Par contre, la fragilité de leur existence est encore plus évidente lorsqu'on voit la Chine œuvrer quotidiennement, depuis 1950, à l'assimilation de cette grande culture millénaire que porte sur ses épaules arrondies le peuple du Tibet.

Le Bhoutan

La sainte paix... et pas de télé !

Au Bhoutan, on vit tranquille... et tranquillement. ¶ En effet, ce pays est tellement bien caché dans le creux de l'Himalaya que peu de gens savent seulement qu'il existe ! C'est un royaume ; il y a donc un roi qu'on voit partout dans le pays sur des photos, des affiches. Ce dernier contrôle bien une population somme toute docile, très religieuse, qui a un faible très marqué pour l'écologie et la chose environnementale. On a bien sensibilisé les jeunes, par le biais de la radio entre autres, à la valeur de l'eau, des arbres, de la nature en général. C'est un pays qui se fait une fierté de ce trait de personnalité. ¶ Il n'y vient que 3 000 touristes par année. On ne veut pas voir trop d'étrangers jeter le long des routes leurs sacs de McDonald's. En fait, on laisse entrer les visiteurs au compte-gouttes. Ceux qui y pénètrent sont des amants de la nature, des adeptes de la montagne, de trekking, des fanas de la réflexion et de la méditation. Quand je me retrouve dans des endroits aussi enchanteurs et aussi peu visités, je me sens vraiment privilégié. ¶ Le pays est surveillé par la Chine parce que les réserves de bois et d'eau (et d'électricité, par conséquent) y sont importantes, mais, dans sa sagesse, le Bhoutan a conclu une entente de libre-échange avec l'Inde, sa voisine du sud. N'étant pas une grande amie de la Chine, l'Inde s'est engagée à protéger ce minuscule pays si jamais la Chine venait à l'attaquer. En échange, l'Inde a droit à l'alimentation en électricité et en bois. Il n'y a que les habitants de l'Inde qui peuvent facilement et aisément entrer au Bhoutan. Les autres, sortez votre panoplie de visas spéciaux ! ¶ À une certaine époque, le Bhoutan a fait croire à l'opinion mondiale que sa population dépassait le million d'habitants. Cette surenchère lui a valu une aide extérieure qui a agacé ses voisins, la Chine et le Népal, entre autres. Aujourd'hui, le Bhoutan doit se limiter à dire qu'il ne compte que 600 000 habitants. Dirigé par une monarchie, le Bhoutan fait penser à un escalier. En effet, ce pays se dresse au fin fond de l'Himalaya sur trois plateaux superposés de bas en haut. Au Bhoutan, il est interdit de posséder un téléviseur, question d'éviter les influences extérieures.

◀ Le battage du riz, une pratique millénaire qui donne à la femme un rôle d'importance dans le partage des tâches.

① THIMBU. Le samedi matin, on prend ça plus *relax* : les petits élèves délaissent la théorie et s'adonnent à des travaux artistiques et de création. ② Lorsque je lui ai fait remarquer qu'au Bhoutan on étudie 210 jours par année, comparativement à un maigre 180 jours ici, une enseignante québécoise a bien failli me sauter à la gorge !

① Ce n'est pas le pont d'Avignon, mais il tient encore, le vieux pont Dzong-Ta ! Entre Paro et Thimbu, il conduit les moines à ce lieu de recueillement. Tous les matins, à la queue leu leu, ils partent quêter dans les environs tout en prodiguant des prières à l'intention de ceux et celles qui croient en la réincarnation. ② « Un steak de yack pour Monsieur ? » semble dire ce boucher qui, en bordure de la rue, ne se préoccupe guère des mouches qui volent autour.

③ Thimbu, la capitale bhoutanaise, plongée dans le temps gris des petites heures du matin. Au centre, le grand palais du roi. ④ Ce jeune à bicyclette sait-il qu'un autre monde existe ailleurs ?

① Sur cette photo, des garçons assistent à la crémation de leur père. Seuls les hommes ont le droit d'être présents lors de ces cérémonies. Les femmes doivent attendre à l'écart pour se faire confirmer ensuite que le paternel est bel et bien parti en cendres, transporté par les eaux du Gange. ② L'Inde, pays d'odeurs et par conséquent d'épices. Ici, un paysan fait la pause en vue de se livrer à un moment de réflexion hindouiste.

Où sont les femmes?

Je ne veux pas faire le prétentieux, mais j'en ai vu de tous les genres et de toutes les nationalités, d'un bout à l'autre du globe. Les plus belles, elles habitent de Mexico à la Terre de Feu. Dans tout le « bloc latino-américain » (j'inclus ici les Portugaises du Brésil, évidemment), je n'ai jamais vu d'aussi belles femmes de toute ma vie. Des Colombiennes aux Brésiliennes, en passant par les Argentines, elles sont nombreuses les Sud-Américaines qui occupent les recoins de ma mémoire. ☉ Les Vietnamiennes leur font une compétition féroce. Les Thaïlandaises aussi. Mais il n'y a rien comme une Sud-Américaine, jeune autant que possible (disons jusqu'à 30 ans). Parce que, comme toute femme, à 30 ans, souvent, ça lâche... (Oui, oui, c'est ça, Mesdames, comme pour tout homme.) ☉ Comme pour moi, tant qu'à ça... Ça fait une paie que ça a lâché !

La Thaïlande

« *One night in Bangkok makes the hot men humble.* »

Murray Head, *One Night in Bangkok*

Pays de mâles en mal de sensations

D'Amsterdam a Saïgon, des enfers du sexe (ou des paradis, c'est selon), on en retrouve dans bien des endroits du monde. Trois raisons, à mon avis, expliquent la « suprématie » de Bangkok, la seule ville que j'ai visitée en Thaïlande, dans ce domaine… pointu. ¶ La première : la guerre du Viêtnam. En effet, ce pays se trouve à quelques pas de la base militaire de Guam, là où l'aviation américaine stationnait ses géants des airs. Les soldats américains, lorsqu'ils avaient droit à quelques jours de congé, se trouvaient donc à une heure de Bangkok. L'exotisme voulait qu'en allant à l'extérieur du pays, ils pouvaient ramener des souvenirs d'aventures sexuelles extraordinaires avec de jeunes femmes polies, toutes petites, très belles et très religieuses. Oui, oui, religieuses, bien que dévouées aux péchés du sexe. ¶ La deuxième : tous les rapports de presse à l'origine desquels des journalistes, qui ont gratté un peu, ont découvert que derrière ce paravent du plaisir se cachait une solide industrie d'exploitation du sexe, gérée par des profiteurs qui attiraient en ville, en leur promettant de l'argent, de jeunes campagnardes qui crevaient de faim. ¶ La troi-

◄ BANGKOK. Des propriétaires d'embarcations agissent comme transporteurs de marchandises de toutes sortes ou à titre de chauffeurs pour les habitants de cette voie fluviale.

sième : la fameuse chanson du chanteur britannique Murray Head, *One Night in Bangkok*, qui a fait le tour du monde et expliqué en long et en large les particularités de la vie nocturne thaïlandaise, faisant éclater sa réputation de « ville de perdition ».

Un épineux paradoxe

Cette industrie est encore très intense, merci. Et même si mon dernier voyage en Thaïlande remonte à 1991, je sais que ça prévaut encore. Le pape lui-même, en 1996, a condamné haut et fort l'exploitation outrancière des femmes de la Thaïlande. Le gouvernement s'est efforcé d'améliorer la situation, mais ce pays du tiers monde n'a pas d'autre option à offrir à cette population aux prises avec un problème de famine bien réel. On ne dispose pas de programmes de travail qui permettraient à ces jeunes filles de faire autre chose, de travailler dans des manufactures de vêtements par exemple. Cet épineux paradoxe préoccupe le gouvernement et celui-ci aimerait bien se défaire de cette réputation.

Une rare richesse : la (jeune) femme

Majestueuse, bruyante, pas très opulente, Bangkok, touristiquement, n'a pas beaucoup à offrir. Il y a bien quelques temples, le grand palais royal, mais en gros, c'est une agglomération polluée qui étourdit tellement la circulation automobile y est dense. ¶ C'est bête à dire, mais peu nombreuses sont les raisons de visiter Bangkok, à part la femme. Un bastion d'Allemands et d'Américains en mal d'affection — ou qui ne connaissent pas beaucoup de succès auprès des femmes de leur patelin — s'y rendent, sachant que pour quelques dollars, ils peuvent vivre des plaisirs qui les rassasient jusqu'à plus soif. ¶ Bangkok, je vous le dis sans détour, est un enfer. Son « faubourg de la luxure » est aussi grand que le centre-ville de Montréal et n'est consacré qu'au sexe, aux cabarets, aux paris, aux studios de massage et aux tintamarres musicaux qui ont pour seul but d'appâter l'étranger. La vie nocturne y est très intense. Les femmes sont magnifiques et, comparativement à ce qu'offrent d'autres villes comme Amsterdam, les prix, ici, sont très bas. La prostituée thaïlandaise, avec ses génuflexions et ses signes religieux, fait preuve d'un grand respect envers son client. ¶ À Bangkok, les femmes sont des articles dans un magasin. Un homme vous y accueille comme un vendeur d'automobiles et vous montre ses « modèles ». Numéro 3 : 20 $, numéro 16 : 30 $. Vous montez alors dans une grande pièce où l'on vous fait le massage, où l'on vous permet de prendre le bain en compagnie d'une jeune fille et pour terminer le tout, vous ferez l'amour de la façon que vous voulez et conserverez un souvenir intarissable de Bangkok.

① BANGKOK. Marchande de fleurs et de bananes. ② BANLIEUE DE BANGKOK. Cette photo fut prise un lundi matin alors qu'une maman thaïlandaise avait décidé de faire le lavage de la semaine... à moins que ce ne soit le lavage de l'année... ou encore le lavage de tout le voisinage. Chose certaine, tout est propre.

① Entrez, prenez un verre et choisissez le bon numéro... Elle vous emmenera là-haut.

② « Je vous fais d'abord couler un bon bain... »

courage

Le Viêtnam

Un peuple marqué par l'envahisseur

De tout temps, j'ai été tenté d'aller à la découverte de ces nombreux endroits du monde où la France a essaimé. Le Viêtnam est un de ceux-là. Le colonialisme, les piastres, la vie de manoir, les hévéas, monsieur Michelin, l'empereur Bao Dai (qui se voyait offrir par Paris des voitures de luxe et des palais climatisés tout en administrant un gouvernement fantoche), c'est un peu tout cela qui a amené Hô Chi Minh à engager son peuple dans une guerre contre les deux plus puissantes armées du monde, la française et l'américaine. ¶ C'est pas possible ! De 1946 à 1975, le Viêtnam n'a jamais cessé de combattre l'envahisseur. Ne serait-ce que pour cette raison, ne serait-ce que pour son courage immense, le peuple vietnamien a créé chez moi un sentiment d'admiration particulier qui m'a incité à le découvrir de mes yeux. ¶ Quand j'y suis allé, dans les derniers jours de mars 1975, avec une force internationale invitée par les Nations Unies, mon voyage a été très court. À la toute dernière minute, on nous a informés qu'il serait impossible de faire comme prévu une tournée des camps militaires. La raison : la débandade des militaires de l'armée du Viêtnam du Sud venait tout juste de commencer. Je voyais déjà, dans le centre-ville, des soldats qui, se promenant au bras des filles ou jasant avec des gars dans des commerces de vente de guénilles, échangeaient leur argent, leur poignard, leurs bottines contre une paire d'espadrilles, de jeans ou des t-shirts. ¶ Leur plan ? Ne plus être associés à l'armée de Van Thieu car, incessamment, elle allait crouler sous le poids de l'armée du Nord qui s'apprêtait à envahir le Sud. Nous sommes donc restés là trois jours seulement. Ce fut un épuisant — et quelque peu épeurant ! — voyage qui n'a rien donné, qui n'a pas permis de juger de l'état du pays, de la ténacité de son peuple et de tout ce que j'avais appris à admirer de lui au fil de mes lectures. Je m'étais promis d'y revenir, mais le pays s'est fermé pendant de nombreuses années. On l'a ouvert aux étrangers — mais pas aux Américains — au début des années 1990 seulement. ¶ En 1991, avec une délégation de vétérans américains à la recherche de confrères encore perdus dans les profondeurs de cette jungle pleine d'embûches et de cobras, je suis revenu dans ce qu'on appelait à l'époque le pays le plus pauvre du monde. Leur espoir : retrouver certains de ces quelque 1 500 ou 2 000 Américains toujours « portés disparus », près de 25 ans après la fin des hostilités. ¶ Nous avons eu beau être guidés par des officiels, personne n'a retrouvé ou identifié un seul de ces Américains. On dit qu'ils se seraient peut-être fondus à la population en se mariant avec des Vietnamiennes ou qu'ils auraient décidé d'émigrer vers d'autres pays, ou encore de ne pas revenir chez eux, coupant les ponts avec le pays qui les avait envoyés là-bas.

◀ ① La célèbre « China Beach », où les Marines américains ont descendu en 1965. Derrière ce décor se trouve la célèbre montagne de marbre qui domine la région. On est près de Da Nang. ② Nous sommes en ex-Indochine française, là où a été tourné le célèbre film mettant en vedette Catherine Deneuve.

Un pays de fourmis

Dire que le peuple vietnamien est travaillant est un euphémisme. Ça m'a fasciné dès mon arrivée : lorsque je déambulais dans les rues des grandes villes, je ne voyais jamais personne à ne rien faire. Au Viêtnam, on n'a pas le temps de sacrer après le gouvernement. Tout le monde s'occupe à une besogne, que ce soit cirer des bottes, tirer des bœufs, vendre des crayons ou des cartes postales dans les rues. À travers ses décors féeriques, j'ai revécu la vie de Hélie de Saint-Marc, commandant de la légion du corps militaire le plus rigoureux de la terre, sillonnant cette jungle ou encore ces rizières devenues familières. Hélie de Saint-Marc est un remarquable Français qui a publié chez Perrin l'un des ouvrages les plus palpitants que j'aie lus en matière de fierté et de courage, *Mémoires des champs de braise*. Au fait, vous pouvez me nommer tous les livres qui ont été publiés sur l'Indochine ou sur le Viêtnam et je vous répondrai : « Je l'ai lu ! » Je les ai tous lus. ¶ Allez, allez, nommez-m'en un !

Un pays « désidentifié »

Aujourd'hui, au Viêtnam, il ne reste de la France que l'architecture. Après avoir lu les romans de Régine Déforges, *La bicyclette bleue* par exemple, je m'attendais, en visitant ce pays, à retrouver des traces de l'époque de l'Indochine. Remarquez, tout est encore là. Mais on a tout effacé. On est même allé jusqu'à changer les noms des rues qui avaient une consonance française. ¶ Je trouve que les autorités touristiques ne font pas de grands efforts pour éveiller quelques souvenirs sympathiques. Quand même... quelque 400 000 Français visitent ce pays chaque année. Je ne dis pas ici de ramener le colonialisme, je dis simplement : « Arrêtez de vouloir réécrire l'histoire ! » Par exemple, dans *La bicyclette bleue*, on parle de la rue des Oiseaux, de la rue des Barbiers, de la rue des Bicyclettes. Ces rues, je les ai trouvées, mais elles avaient changé de nom. Là où une foule de barbiers le long du chemin faisaient leur travail, ça ne s'appelait plus la rue des Barbiers. Tout a été « désidentifié ».

Cap sur l'avenir

On a déjà dit de ce pays qu'il était l'un des plus pauvres du monde. Mais grâce à une ouverture sur le monde et surtout à la faveur d'une main-d'œuvre extrêmement travaillante et peu coûteuse, le Viêtnam a vite récupéré. Aujourd'hui, ce pays ne recherche que la paix et la croissance économique. Nombre de pays le savent et installent maintenant des usines qui font travailler à prix concurrentiel ce peuple merveilleux. Faut voir ces femmes douces au regard ensorceleur qui n'ont, comme barrière protectrice, qu'une langue insaisissable pour l'étranger de passage.

▶ DA NANG. Un autre endroit où ça a bardé durant la guerre du Viêtnam. Ces femmes qui se cachent pour m'éviter semblent se dire : « Il ne faut pas que nos maris sachent ! »

① HUÊ *(centre du pays).* Lieu hautement religieux. C'est là que les Américains ont failli goûter à la médecine de Diên Biên Phu, qui a mis un terme à la présence française, n'eût été du beau temps qui avait finalement permis aux redoutables F-5 Phamtoms de leur venir en aide. Aujourd'hui, ces lieux sont redevenus beaux et tranquilles.

② HANOI. C'est la capitale du nouveau Viêtnam. Malgré son climat humide et gris, elle est la ville la plus française par son architecture et son urbanisme. Tout a été effacé là aussi, seul le restaurant Coq d'or a résisté ! Tout touriste francophone qui a lu *Rue de la Soie* de Régine Déforges aimerait savoir où elle se situait.

① J'ai retrouvé la rue des Barbiers. Elle a changé de nom, mais a conservé sa vocation ! ② HANOI. Vendeurs de poules et de volailles. ③ SAIGON. Une jolie « col bleu » me jette un regard. La voyant à l'œuvre, je ne peux m'empêcher de penser qu'à Montréal les cols bleus municipaux se battent pour la semaine de quatre jours. « Ici, me confie-t-elle, la semaine, elle a six jours. » ④ Un pêcheur vietnamien tente sa chance près de Cu Chi, ancien foyer de la résistance du Viêt-cong... où toute une infrastructure souterraine fut aménagée durant les guerres contre les Français et les Américains. On peut d'ailleurs la visiter.

① HONG-KONG *(Chine)*.
Ville chinoise d'affaires et
d'affairistes ou ville futuriste ?
Cette photo fut choisie par la
chaîne de magasins Foto Clik,
succursale du mail Champlain
à Brossard, comme ayant été
la meilleure du mois de janvier
1995. ② Si la photo 1 nous a
montré un Hong-Kong des
plus futuristes, celle-ci
témoigne de la vie laborieuse
de ces milliers de sampangs
qui vivent à bord de leurs
embarcations, faute de ne
pouvoir obtenir de logement
en ville.

① PÉKIN *(Chine)*. Regard inquisiteur d'un Chinois orthodoxe, grand nostalgique de l'époque de Mao, qui ne semble pas apprécier la venue de visiteurs dans la cité interdite ou le long de la grande muraille. Il est vrai que cette photo fut prise en 1986, à une époque où le touriste passait pour un bien étrange personnage. ② En marchant sur la Grande muraille, j'ai aperçu ce jeune Chinois portant un uniforme aux couleurs du vieux régime.

◀ PÉKIN *(Chine)*. « N'est-ce pas qu'il a toute une tête à caricature mon ami, mais il ne veut pas se faire photographier ! Alors, prenez une photo de moi à la place », semble dire cet ouvrier de la voirie.

① HIROSHIMA *(Japon)*. Le 6 août 1945, à 8 h 15, la première bombe atomique larguée depuis le B-29 Enola Gay faisait plus de 100 000 morts. Seule la bibliothèque municipale a résisté à la secousse. ② HIROSHIMA *(Japon)*. Malgré les grincements de dents des États-Unis, le dôme d'Hiroshima a été classé « monument international » par l'UNESCO. ③ KYOTO *(Japon)*. Un grand magasin moderne, genre Eaton, mais pas Art déco comme le Eaton du centre-ville de Montréal.

③

La plus belle plage

Hawaii a de magnifiques plages. Bali aussi. Mais entre vous et moi, pas besoin d'aller très très loin pour trouver la plus belle plage du monde, et les touristes québécois sont nombreux à l'avoir déjà vue sans avoir pris conscience de leur chance. Ils se limitent à dire que c'est une belle plage, mais ils n'ont pas vu les autres. ◉ Des plages, j'en ai vu des centaines. Rio a de belles plages, mais la mer est très violente. Agadir a de très jolies plages, mais elles sont noires parce que leur sable est volcanique. Plusieurs pays ont des plages superbes, mais aucune de celles-ci ne bat celle de Varadero. La plus belle plage du monde, elle se trouve là, oui, oui, à Cuba, tout près d'ici. C'est une plage de farine blanche où l'on peut marcher dans l'eau sur une distance de près de deux kilomètres avant d'avoir de l'eau jusqu'à la poitrine.

L'Amérique latine, les Antilles, les Caraïbes

Région du globe où la beauté féminine est la principale ressource naturelle

L'Amérique latine, je l'ai parcourue dans presque tous les sens, d'est en ouest et du nord au sud. Nommez-moi un pays d'Amérique latine, je l'ai visité. D'accord, d'accord, je ne suis pas (encore) allé au Surinam ni au Honduras ni au Belize (ni à l'île de Pâques), c'est vrai, mais j'ai mis le pied dans chacun des autres, je le jure ! ¶ Du Mexique au Cap Horn, à l'occasion d'une trentaine de voyages répartis sur près d'une trentaine d'années, j'ai découvert des pays qui se ressemblent beaucoup, entre autres parce qu'ils ont tous à peu près le même âge, c'est-à-dire de 300 à 400 ans — si l'on ne compte pas, évidemment, l'âge des civilisations amérindiennes millénaires, qu'elles s'appellent Mayas, Incas, Aztèques ou Totonaques, bulldozées par les conquérants espagnols. ¶ En 1972, j'ai fait un grand tour de l'Amérique latine (Pérou, Argentine, Chili, Brésil). Par la suite, j'ai revisité ces pays que je considérais avoir vus trop vite, et je suis allé satisfaire ma curiosité pour l'histoire dans presque tous les autres. Je suis allé au Panama (trois fois), à Cuba, en Haïti, en Colombie (deux fois), en République dominicaine, à la Martinique et en Guadeloupe, bien sûr, au Venezuela (deux fois), en Uruguay, au Paraguay, au Mexique

◄ OVALDO (*Équateur*). Un Indien tisse un tapis, un métier que je croyais réservé aux Indiennes.

(une bonne douzaine de fois), au Guatemala, au Nicaragua. Et cætera !

Une rage de vivre

J'ai visité l'Argentine au moment où Perón, exilé en Espagne depuis nombre d'années, était sur le point de revenir au pays avec le cercueil de sa femme. Curieusement, depuis que Madonna a incarné Eva Duarte, je me suis de nouveau intéressé à ce pan de l'histoire de l'Amérique du Sud, replongeant dans mes nombreux ouvrages d'histoire. Ça me donne envie d'y retourner. D'ailleurs, c'est souvent dans ces circonstances que me prend le goût de partir à l'aventure : une simple lecture, l'impression d'en avoir manqué des bouts dans les endroits que j'ai visités, l'intérêt d'en savoir plus et de « voir de mes yeux vu » (la boulimie ?), un rien, finalement, peut me pousser à repartir sur un coup de tête. C'est comme une rage de vivre. ¶ Je pense à l'Équateur, par exemple. Sur mon banc d'école, quand j'étais petit, on me disait que l'Équateur est « la ligne qui sépare le nord du sud ». Ça m'a toujours intrigué. Un soir, j'ai rencontré mon vieil ami « Momo » Robert qui revenait de l'Équateur. Il m'a décrit avec une telle fougue la beauté de ce pays, la verdure, les hameaux d'Indiens encore intacts, la qualité de l'air qu'on y respire, je l'ai trouvé tellement entraînant que je me suis dit : « Je vais y aller moi aussi. » J'y suis allé ! Un rien, je vous dis. La piqûre, j'imagine.

mirage

◄ Une anecdote jamaïcaine

Une folle aventure a mené à cette photo. En fait, j'ai manqué de peu l'occasion de recevoir une raclée mémorable! Je m'en souviens encore comme si c'était hier : mon ami Yves Dubuc et moi avions décidé de louer une motocyclette dans le but de faire le tour de l'île à notre guise. ¶ Dans l'après-midi, nous nous rendons visiter le M. W. Pratt, un bateau de guerre américain ancré dans le port d'Ocho Rios, situé près de notre hôtel. Sans doute grâce à ma passe de presse, le capitaine fait cadeau à chacun d'une casquette de la marine. Nous repartons donc avec nos engins en nous enfonçant dans les terres situées derrière les montagnes. Notre intention : aller prendre des photos des habitants — en fait, pour être bien honnête, surtout des filles — d'un bled perdu dont je ne me rappelle plus le nom et où l'on vit, semble-t-il, dans le libertinage le plus total. Vous imaginez notre hâte... Souriez les filles, le petit oiseau va sortir! Ou le moineau? ¶ Mais voilà qu'en route on découvre le nid où, semble-t-il, des coqs de combat auraient assassiné une semaine auparavant un Américain un peu téméraire, comme nous, en quête de paradis. Nous tentons alors de faire demi-tour, mais en vain : machettes à la main, quelques joyeux Rastas bloquent la route. Il y en a même un qui a un .45 au-dessus de la fesse gauche! ¶ Je risque alors le tout pour le tout : avec nos casquettes de la marine, je prends la liberté de leur monter tout un bateau. Je raconte à ces sales gueules que le capitaine m'a demandé de venir chercher 25 belles femmes pour une orgie qui serait tenue le soir même sur le navire. En plus de payer au comptant ce bastion du plaisir, je leur promets un pourboire de 5 $ par tête. Le chef de la bande ne laisse pas filer une telle aubaine... Ravi, il se met à nous appeler *My friends* et pointe du doigt, sur-le-champ, les bijoux féminins qui pourraient faire la joie des bijoux de famille de marins en mal d'émotions fortes — tout en nous permettant de retourner sur le M. W. Pratt, grand navire nucléaire dont le port d'attache était à Guantanamo (Cuba). ¶ Assis sur le bord de la piscine, nous nous la coulons douce lorsqu'on voit une vingtaine de *girls* magnifiquement vêtues de robes à brillants, la poitrine très en santé et généreuse, sortir du bois comme dans un conte de fées, l'une après l'autre, à la queue leu leu, conduites par le sympathique « directeur des ressources humaines », prêt à mener ses plus beaux bijoux au bateau de l'amour. Un mirage en Jamaïque, est-ce possible? ¶ Plus tard, nous avons attendu la suite à l'entrée du navire, mais rien ne pointait à l'horizon : aucun sacre, aucune déception, aucun cri. À notre grand étonnement, les filles sont restées à bord du bateau de guerre. Faut croire que les marins savent prendre soin de la visite.

① Au Panama, on trouve les Indiens kunas, qui habitent un archipel de 365 îles au large des côtes atlantiques. Dans leur soif d'autonomie, ils ont même obtenu un statut distinct de la part du gouvernement de Panama. Ici, pas d'outils modernes, pas de radio, de télé ou de téléphone. On se débrouille avec ce que la nature nous offre. Au menu du soir : une bouillabaisse composée de poissons, de crustacés et de serpents ! On donne la liste des ingrédients après le repas. ② Juin 1993. L'une de ces îles de l'archipel des Kunas, au Panama. On est loin des problèmes des grandes cités ! ③ Une descendante des Mayas du Guatemala. À Chichicastenango, au sommet de la cordillère des Andes, les Mayas célèbrent encore leurs rites religieux à leur manière, c'est-à-dire en adorant le jaguar, le Soleil... et Jésus-Christ.

① À Cuba, tout le monde a sa maison... ou sa paillotte. Mais elle est payée ! ② CHICHICASTENANGO *(Guatemala)*. À l'église catholique de Saint-Thomas, on accorde la permission aux Indiens incas de pratiquer leurs rites païens. ③ CARTHAGÈNE *(Colombie)*. De l'église ou du lampadaire, lequel éclaire le mieux les esprits embrouillés ? ④ LA HAVANE *(Cuba)*. Che Guevara, dont on parle de plus en plus, en ce 30ᵉ anniversaire de sa mort, a été exécuté au sommet des montagnes de Bolivie. Guevara, Argentin de naissance et diplômé en médecine, a préféré se donner à la révolution cubaine, puis au marxisme. Il est allé mourir en Bolivie.

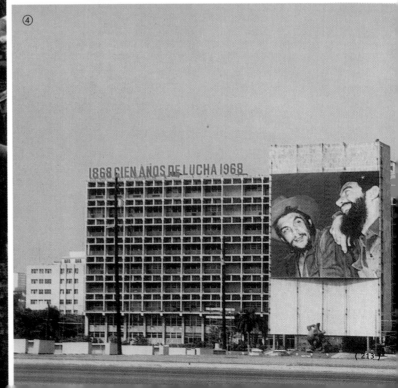

① Février 1996, dans la jungle dense du Panama, chez les Chocos. Il s'agit, au dire des anthropologues, de l'une des tribus les plus primitives au monde. Bien qu'à proximité de la civilisation, les Chocos ont été oubliés par le progrès. Et c'est tant mieux. ② Au Panama, toujours chez les Chocos. On ne peut imaginer que, malgré leur proximité avec la capitale panaméenne, ces indigènes, avec leurs colliers de dents d'animaux, évoluent dans un cadre aussi primitif. Les enfants, dans le creux de la jungle, sont même mieux élevés que nos petits monstres nord-américains !

① CUBA. Des canons éprouvés à l'époque des corsaires,
mais qui n'ont pas grondé depuis bien longtemps.

② OCHO RIOS *(Jamaïque)*. Ici, les amoureux sont seuls au monde
et on n'a pas besoin de piano pour s'accorder.

Incognito, je recommence ma vie à zéro

Lorsque je sors de CKAC et que j'attends de traverser la rue à l'angle de Peel et de Sainte-Catherine, chaque fois, je sens que l'on me reconnaît. Alors c'est bien évident que j'apprécie les moments où je peux me mêler totalement à la foule. Remarquez, ils sont rares, vous savez, les coins de cette planète où l'on ne rencontre pas de Québécois. ☉ Un événement mémorable est survenu à Cayenne, en Guyane française, dans un tout petit restaurant. Je m'entends encore lancer à ma belle Marie-Andrée : « Si j'étais pris dans une histoire de meurtre et que j'avais à me sauver, c'est ici que je viendrais me réfugier. Ici, je suis convaincu que personne ne me pincerait. La police ne penserait jamais à venir à ma recherche à Cayenne, en Guyane française. » ☉ Pas plus de 15 minutes plus tard surgissent quatre Québécois, des ingénieurs qui travaillaient aux rampes de lancement des fusées Ariane. Ah ! ben, je vous dis que je n'en re-ve-nais pas ! Ils m'ont apostrophé en me tutoyant, comme si j'étais un de leurs vieux amis, et ça m'a fait bien rire : « On est dans un pays du bout du monde, y a pas un maudit Québécois qui vient ici. On en trouve un dans le fond d'un restaurant, et c'est Gilles Proulx ! » ☉ Ils s'étonnaient de mon choix. Je leur ai expliqué que j'étais un grand voyageur, que je regardais la Guyane française sur la carte depuis des années, et que je me disais qu'un des ces jours, j'aimerais mettre les pieds là. ☉ Un pays français en pleine Amérique du Sud. Quand même, on n'y pense pas.

contradiction

Les États-Unis

Pays immense, moins bête qu'on le pense

Je n'ai pas encore visité les États-Unis à mon goût. Curieux, n'est-ce pas, pour un gars qui a presque fait le tour du monde ! Je suis peut-être tombé dans le même piège que bien des gens… En effet, on a tendance à ne retenir des États-Unis que ce qu'ils ont de bête, de gros ; on gueule haut et fort contre le gigantisme, la facilité, le côté *fast food*. Ce pays réserve toutefois une foule de surprises. Il regorge de coins fabuleux à découvrir. Je n'ai pas encore trouvé par quel bout le prendre, mes voyages aux États-Unis ayant généralement été des voyages de presse, des missions aller-retour ou des incartades en Floride pour apaiser mes vieux os. Mais avant de célébrer mes 60 ans, je me promets une longue escapade de quelques mois en voiture à travers ce grand pays. ¶ J'aimerais, entre autres, voir le parc national de Yellowstone et son fameux geyser, le Vieux Fidèle, et le champ de bataille de Gettysburg, où les nordistes ont triomphé pendant la guerre de Sécession (1863). L'histoire des États-Unis s'est un peu écrite là ; Gettysburg, c'est un peu les plaines d'Abraham des Américains. ¶ Pays de contradiction, de génie, de médiocrité, les États-Unis font montre d'un dynamisme extraordinaire, d'une imagination sans limite.

Les USA, c'est 50 États qui sont autant de différents pays, avec leurs charmes historiques, culturels et touristiques. C'est aussi les cow-boys, le Grand Canyon, New York, Chicago, Los Angeles, et une force militaire qui aime à rappeler à quiconque que les États-Unis sont les gendarmes de la planète, les Romains des temps modernes. ¶ Oublier ce pays, ce serait passer à côté de l'un des éléments les plus importants de la terre. Ne nous faisons pas tromper par la proximité ! Allons visiter ce pays à la fois dérangeant et admirable.

◀ NEW YORK. Ville aux mille et un visages. Sa police municipale, qui, petit à petit, rebâtit sa réputation, est représentative du multiculturalisme qui caractérise cette mégapole. Ici, une *African-American* en compagnie d'un hispanophone descendant d'un empire disparu se donnent la main pour que règnent la paix et le bon ordre.

① SAN FRANCISCO. Hommage aux tramways du monde, un mode de transport dont plusieurs ont encore la nostalgie. ② NEW YORK. Ce garde-manger de la 5e Avenue rappelle qu'il se jette peut-être assez de choses pour nourrir tous les pauvres de cette mégapole. ③ DALLAS. Un carrefour célèbre, celui où Lee Harvey Oswald aurait abattu le président Kennedy.

① Même à Las Vegas, c'est
dans la tête qu'on est beau...
② LAS VEGAS. Une ville où
les milliardaires ressortent
parfois millionnaires. En face
de l'hôtel MGM, une réplique
de la ville de New York.

① GRAND CANYON. Une autre des merveilles du monde que j'ai eu la chance de voir au cours de mes nombreux voyages. Merci Dame Nature ! ② LAC TAHOE *(Nevada),* mars 1997. Une œuvre de la nature que les Indiens ont interprétée comme étant un pont bâti par les grands esprits. ③ Peut-être le règne des vachers est-il sur le point de s'éteindre. Avouez quand même que ce cow-boy solitaire rappelle tout un pan de l'histoire américaine. ④ Après plusieurs heures de route, le lac Tahoe surgit du désert comme un émerveillement.

④

Home, sweet home...

Je chiale beaucoup, je dis que nous sommes médiocres, que nous sommes caves, nous, les Québécois, et que nous ne nous affirmons pas. Toutefois, quand je pars, j'ai toujours la même impression à propos du Québec et du Canada : la fraîcheur de l'air et la faible densité de la population font que mon chez-moi se compare avantageusement à celui du Belge, du Japonais et même du Français, dont la densité de la population est tellement forte, ou à celui des habitants du tiers monde dont les moyens financiers sont tellement limités. Je me dis toujours : « On est donc ben chez nous. » ☉ Je suis toujours content de revenir à la maison. En vérité, je ne pourrais pas vivre dans la majorité des pays que j'ai visités ; la plupart sont des pays de mouches, d'air vicié, où il faut constamment se battre contre la nature. Moi, je suis trop vieux pour ça. J'ai travaillé en Afrique et j'y ai fait l'expérience d'une vie assez rudimentaire. Le simple fait de m'y être trempé, de m'être fait une idée de la vie là-bas, de pouvoir dire : « J'y suis allé, j'ai touché, j'ai vu, j'ai goûté » me suffit amplement. ☉ Je suis un citadin de nature. J'aime bien les villes, j'aime me tremper dans le quotidien d'autres personnes, satisfaire ma curiosité... Mais je le fais pour mieux revenir chez moi. De retour dans mon milieu, je fais le plein, puis la piqûre du voyage me prend de nouveau !

verdure

Montréal

À la recherche d'une personnalité

Montréal, c'est toi MA ville ! ¶ Attention, ce n'est pas moi qui l'ai dit. C'est plutôt notre bon maire Bourque qui, à coups de centaines de milliers de dollars, a fait concevoir cette campagne publicitaire tellement insignifiante. Montréal, c'est toi le monde, Montréal, c'est toi le rire... N'importe quoi ! ¶ Au fond, il a peut-être raison, ce cher monsieur Bourque : qui donc n'aime pas Montréal ? Qui donc a un commentaire négatif à formuler à l'égard de celle qui fut jadis la deuxième agglomération francophone en importance au monde après Paris... même si elle ne cesse de s'angliciser au rythme de l'intensification de ses relations avec nos amis du sud ? ¶ Laissez-moi vous poser *la* question à 100 piastres : Montréal est-elle une belle ville ? Ma réponse naturelle : oui ! Il fait bon y vivre. Seulement sur le plan du nombre d'espaces verts, lorsqu'on la compare à d'autres mégapoles comme Mexico, Le Caire ou Rome, la ville fondée par sieur Paul de Chomedey de Maisonneuve remporte la palme haut la main. Et quand j'entends ces distingués écolos déplorer le manque de verdure à Montréal, j'ai toujours envie de les envoyer faire un tour d'hélicoptère. Pour avoir déjà fait les rapports de circulation du haut des airs, il faut me croire : vue ainsi, Montréal est un lopin de terre très vert où la densité de la population et la qualité de vie n'ont rien à

◄ « Mais que me voulez-vous donc mademoiselle la tour ? Vous voyez bien qu'il y a bien longtemps que ma cheminée a cessé d'empester mes concitoyens et concitoyennes ! »

voir avec celles dont j'ai été témoin dans bien des cités comparables. ¶ Alors, Montréal est-elle une belle ville ? ¶ Moi, je la trouve toujours ravissante quand j'emprunte les ponts Champlain ou Jacques-Cartier et que je l'admire à cette distance. Parfois, elle m'apparaît même si parfaite qu'elle me fait penser à une maquette. Son emplacement de choix prouve combien nos ancêtres avaient de la perspicacité. ¶ Montréal est-elle une belle ville ? Vous hésitez, hein... Serait-ce que Montréal n'est regardable que lorsqu'on l'examine à distance ? Serait-elle, comme on dit en bon québécois, « belle de loin mais loin d'être belle » ? Mon avis est que Montréal n'affiche pas une riche personnalité. En effet, lorsqu'on arpente ses rues ponctuées de nids-de-poule, on note d'emblée une absence totale d'harmonie sur le plan architectural. Bon sang ! Montréal a été pendant 200 ans une ville provinciale française... Où sont les vestiges de ce passé pourtant pas si lointain ? Pourquoi n'a-t-on pas mis en valeur ce riche patrimoine historique ? Ah ! on a bien placé quelques petites plaques un peu partout, « Ici était la Cour martiale », « Ici, Lambert Closse s'est battu avec un Indien », « Ici a eu lieu tel événement », mais n'est-ce pas triste de constater qu'on vit dans une ville remplie de plaques commémoratives qu'on ne lit pas, alors qu'on avait des bâtisses qui dataient du régime français et qu'on n'a à peu près rien fait pour les préserver ? À part quelques édifices éparpillés ici et là dans le Vieux-Montréal, où donc peut-on trouver des traces de nos origines françaises ? Tout ça me démonte. ¶ Si j'étais maire, je verrais dans cette mise en valeur du passé les éléments d'une promotion « touristico-industrielle » fantastique. Présentement, quand on arrive de Paris, de Rome ou de New York, qu'est-ce que Montréal a à nous offrir ? On a la place Jacques-Cartier avec ses bâtisses carrées, ses ivrognes et ses boutiques de souvenirs. En cette époque, on n'est pas plus conscient que ça. Le pire, c'est qu'on va l'être de moins en moins parce que plus ça va, plus on désapprend. ¶ Il y a quelques années, l'administration Doré a donné le feu vert pour que l'on développe un nouveau quartier, Faubourg-Québec, situé en plein cœur du berceau de la Nouvelle-France. Brillante idée. C'est là qu'on a trouvé la porte de Québec, une porte aussi imposante que la porte Saint-Jean à Québec. Elle aurait pu être mise en vedette sur une carte postale et ainsi envoyée aux quatre coins du monde par les touristes en visite ici ; elle aurait pu aussi faire l'objet d'ateliers historiques offerts aux jeunes, dans le cadre desquels on aurait dit : « Ici, il y avait une vie française », « Ici, c'était la fin de la ville », « Ici se trouvait la muraille qui protégeait la ville », etc. Non, on a plutôt décidé de passer le bulldozer dessus, on a construit des maisons à l'allure banlieusarde, carrément dénuées de style. On peut déplorer le fait que Doré, qui n'a aucune conscience historique, n'ait même pas penser à respecter le style des maisons d'origine, apparenté à l'architecture normande ou bretonne. C'est ça, ne pas avoir de vision. N'en parlez même pas au maire Bourque, même si ce mot fait partie du nom de son organisation. Tout ça lui passe dix pieds par-dessus la tête. Le maire Bourque, c'est un anachronisme dans l'histoire de Montréal. Ça se peut pas, un gars qui aime autant les fleurs et les arbres qui ait aussi peu de dimension, aussi peu de vision. C'est clair, cet homme-là a été élu en raison de la faiblesse de son adversaire.

Un peu comme on attend le Messie, j'attends toujours impatiemment la venue d'élus municipaux animés d'une certaine vision qui nous doteraient d'une ou deux grandes artères comparables aux Champs-Élysées, où on trouverait de gigantesques monuments qui rappelleraient notre passé. Ça me déconcerte de constater *ad nauseam* à quel point Montréal n'évoque pas assez l'époque glorieuse de ses vaillants fondateurs. Il faut emprunter un autobus « tour de ville » ou le « bateau-mouche » pour remarquer les faibles connaissances des guides. Je vais peut-être vous sembler fatigant, mais je trouve incroyable de voir à quel point nos jeunes ne savent presque rien de ces 200 années françaises, tout ça parce que le faiblot ministère de l'Éducation n'a jamais cru bon de fournir les efforts nécessaires pour nous sensibiliser à nos origines. ¶ Ah ! Montréal, malgré tout ça, c'est vraiment toi MA ville.

▶ Le cimetière de la Côte-des-Neiges, l'un des plus beaux d'Amérique, réunit déjà plus d'un million de morts et constitue aussi un lieu de choix pour faire de la très belle photographie.

① Qui a dit que Montréal
était la deuxième ville
française du monde ? Un mur
multicolore de la rue Saint-
Laurent nous rappelle à quel
point multiethnique est cette
ville. ② 24 juin 1995, angle
des rues Sherbrooke Est et
Préfontaine. Depuis le temps
que les responsables du défilé
invitent les gens d'autres
nationalités à participer aux
célébrations de la Saint-Jean-
Baptiste… On peut dire que
cette jeune fille a bien répondu
à l'appel.

① La cathédrale spirituelle tourne le dos à la cathédrale capitaliste! La cathédrale Marie-Reine-du-Monde, réplique de Saint-Pierre-de-Rome, reçoit toutefois un peu moins de touristes. ② Rue des Pins. « Prendre l'autobus, c'est intelligent »... en attendant de s'acheter un char !

① Mai 1986. À la surprise générale, le Canadien de Jean Perron remporte la coupe Stanley. Montréal est en liesse ! Au milieu de cette foule compacte, Mario Tremblay boit sa Molson comme si de rien n'était. Pendant ce temps, Guy Carbonneau et Chris Nilan saluent la foule qui ne reverra ce spectacle que sept ans plus tard.

② « Nelson, tu me renverses », semble dire cette jeune adepte du trampoline. La statue de l'amiral Nelson, qui n'a rien à voir avec notre histoire, a été placée sur la place Jacques-Cartier à l'issue d'une collecte effectuée au lendemain de la victoire de celui-ci contre la flotte franco-espagnole à Trafalgar, le 21 octobre 1805. Jacques Cartier, quant à lui, est juché sur un socle perdu quelque part sur le pont du même nom…

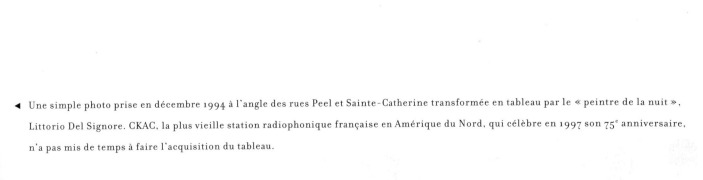

◄ Une simple photo prise en décembre 1994 à l'angle des rues Peel et Sainte-Catherine transformée en tableau par le « peintre de la nuit », Littorio Del Signore. CKAC, la plus vieille station radiophonique française en Amérique du Nord, qui célèbre en 1997 son 75ᵉ anniversaire, n'a pas mis de temps à faire l'acquisition du tableau.

Le Québec

Un géant qui s'ignore

Le Québec, sur une carte géographique, me fait penser à une belle tête de cheval. L'ennui, c'est qu'il refuse de travailler comme un cheval pour devenir aussi fort qu'un cheval. Le Québec, c'est la femme battue à qui toutes les voisines ne cessent de répéter : « Quitte-le, tu vois bien qu'il te méprise... » et qui ne trouve qu'à répliquer : « Il m'a dit de rester, que ça ira mieux... ». ♩ Nous avons beau vivre dans une « province », je me garde bien d'utiliser ce mot. Province, ça fait « colonie », ça fait « subalterne qui demande la permission à un pouvoir au-dessus de lui ». Alors je dis toujours « Le Québec », point. Et si je m'adressais au Québec, je lui dirais :

Mon Québec, tu as des potentialités incroyables en matière hydroélectrique ♩ Mon Québec, tu es rempli d'individus brillants, de vedettes en devenir ♩ Mon Québec, tu es tellement cave que tu ne sais pas combien tu es fort ♩ Mon Québec, tu es un géant qui s'ignore

On a d'excellents joueurs de hockey et de quilles. Faudrait faire plus que ça ! On a de bons médecins, mais je les entends dire qu'ils veulent sacrer leur camp aux États-Unis parce qu'ici, il n'y a pas beaucoup d'avenir. Que deviendras-tu mon Québec ? ♩ N'empêche. Quand je vois Charles Dutoit aller aux quatre coins du monde décrocher des prix, quand je vais à Las Vegas et que je tombe sur un chapiteau permanent du Cirque du soleil, après avoir été ébloui par Mario Lemieux qui a soulevé les foules d'un bout à l'autre de l'Amérique, quand je vais en Chine ou en Tunisie et que je rencontre une délégation d'Hydro-Québec, quand j'entends Céline Dion chanter à la radio sur les plages de Rio de Janeiro, je suis très fier d'être Québécois.

Unique dans sa nature

L'automne, le Québec a le don de m'étourdir par ses couleurs. En effet, plusieurs régions déjà belles deviennent tout simplement magnifiques dès qu'arrive la fin septembre. Le Québec pourrait d'ailleurs, en guise de boutade, lancer à tous les peintres impressionnistes : « Allez vous faire foutre, vous n'êtes pas capables de me reproduire tellement je suis unique dans ma nature. » ♩ Et son climat rigoureux, je l'aime bien, moi. Y en a qui rouspètent, qui veulent déménager en Floride aussitôt qu'arrive l'hiver. Pas moi. J'aime le froid, j'aime le temps gris autant que le temps bleu. Une façon comme une autre de combattre la routine quotidienne... et d'avoir des choses à dire sur le temps, vu que c'est toujours notre premier sujet de conversation !

◀ QUÉBEC. Quatre cents ans après le passage de Samuel de Champlain, le château Frontenac a été bâti sur les ruines du château Saint-Louis, où Frontenac avait ses quartiers généraux. Il fut aussi le théâtre de grands événements, telle la conférence de Québec, durant la Deuxième Guerre mondiale, où Churchill, Roosevelt et Mackenzie King se réunirent pour planifier leurs plans d'après-guerre. L'animateur de cette rencontre était Roger Baulu.

identité

Souverainiste, oui, mais...

J'ai longtemps été un souverainiste dur, indépendantiste du RIN à l'époque où Bourgault m'obnubilait avec ses discours. Je me suis même présenté sous la bannière du PQ en 1973 dans Anjou (j'avais perdu par 631 voix). Toutefois, en vieillissant, je suis devenu un souverainiste mou. ¶ Un jour, je me suis dit : « On est dans un grand pays, aussi grand qu'un continent. » Si seulement, comme Robert Bourassa a vainement tenté de le faire, on pouvait obtenir un élargissement de notre autonomie à l'intérieur du Canada... Mais comme notre élite n'a pas la volonté de faire de nous un peuple comparable aux Israéliens, je doute fort qu'on tienne 1 000 ans si l'on devient un peuple souverain! ¶ On n'aime pas baiser pour faire des petits. On aime baiser tout court. Mais si l'on ne se reproduit pas, ce n'est sûrement pas avec l'immigration qu'on va sauver notre nation. On disparaîtra, indépendants ou non. Peut-être vaut-il mieux demeurer dans le Canada et affronter *ensemble* le monstre américain. Parce que notre ennemi principal, ne l'oublions pas, ce sont les États-Unis ; l'américanisation guette autant les *Canadians* que les Québécois. Alors les *Canadians* ont besoin de nous pour que le Canada garde son identité propre. ¶ Mais on a affaire à un pays raciste. Le Canada anglais, c'est malheureux à dire, est un pays xénophobe. On n'a qu'à prononcer le mot *French*, le mot *distinct*, pour que tout de suite l'écume leur monte à la bouche et qu'on nous bloque toute volonté d'épanouissement ou d'élargissement de notre autonomie au sein du Canada. On est vraiment uniques au monde. ¶ Et c'est triste à dire. On est ben cornichons.

① Le majestueux Saint-Laurent à la hauteur de Port-au-Persil, dans Charlevoix. Cette photo fut soumise à l'équipe
de Réjean Brazeau, des disques Star, qui cherchait l'image à placer sur la pochette d'un disque d'André Gagnon. Elle ne fut pas choisie.
② C'est finalement celle-ci qu'André Gagnon a choisie pour son disque *Le fleuve*.

① QUÉBEC. La Redoute dauphine est l'un des rares bâtiments militaires de la glorieuse époque du régime français. Avec le fort Chambly, situé près de Montréal, il ne reste presque plus rien du régime français... militairement parlant. ② COATICOOK. Une ferme d'inspiration écossaise qui rappelle les nombreuses influences architecturales ayant caractérisé le Québec.

②

◀ PONT DE GOULD. Il s'agit du plus long pont couvert de la région des Bois-Francs. Heureusement protégé par le ministère des Affaires culturelles, ce pont nous ramène à la grande époque de l'agriculture.

① LAC SAINT-FRANÇOIS, sud-ouest de Montréal. « Une pêche miraculeuse ! » semble dire Noirot, qui vient de s'improviser pêcheur du dimanche. ② Les alpinistes du dimanche défient les glaces laissées par le torrent d'eau des chutes Montmorency, qui coulent en banlieue de Québec. C'est aussi au sommet de ces cataractes que les soldats de Montcalm ont flanqué une raclée aux habits rouges anglais de Wolfe. Quatre cents d'entre eux perdirent la vie en septembre 1759, juste avant l'affrontement sur les plaines d'Abraham. ③ L'Halloween se fête également à La Malbaie ! ④ Cette photo, prise spontanément au zoo de Granby, a été choisie par la station CKMF-FM pour publiciser l'une de leurs émissions les plus populaires à ce jour, *Le zoo*. ⑤ SAINT-BRUNO, automne 1970. Une cabane à sucre un brin fatiguée.

②

③

⑤

① ÎLES-DE-LA-MADELEINE. On comprend pourquoi nos ancêtres bretons et normands ont tout de suite aimé nos paysages : certains ressemblent à s'y méprendre à ceux de leur France natale.

② Pas nécessaire de vous rendre en Indonésie pour être bercé de tant d'exotisme. Suffit d'aller à Drummondville pendant le Festival mondial de folklore !

Le grand projet de mes 60 ans

Fouillez-moi, les gens qui apprennent que je voyage beaucoup me demandent toujours de leur parler de l'Australie. Pourtant, je n'y suis jamais allé. Ça ne m'attire pas, l'Australie. ☉ Remarquez, je ne mets pas un x définitif là-dessus. En effet, je planifie un grand projet pour janvier 2000 : faire le tour du monde en bateau. Un voyage de 104 jours, un circuit plutôt confortable, somme toute bourgeois, il me faut bien l'admettre. Mais je commence à être essoufflé, essoufflé par l'inconnu que représentent les aéroports, essoufflé par les bagages qui ne suivent pas toujours, essoufflé par les barrières linguistiques. C'est évident qu'en vieillissant on se fatigue de tout ça. ☉ Alors voilà, je me suis dit que j'atteindrais l'âge vénérable de 60 ans en l'an 2000 et que je me taperais mon dernier grand voyage. Du grand luxe : ça coûte 22 000 $. Mais bon, tout bien calculé, avec les trois repas et la chambre, 22 000 $, c'est pas si cher que ça. Je verrai alors des pays que je n'ai jamais visités, comme la Nouvelle-Zélande et l'Australie, et d'autres que j'ai déjà vus (je sais qu'il y a des arrêts à Hanoi, à Saigon, à Bombay, par exemple). On passera par la mer Rouge, le Nil, on ira en Turquie, on reviendra par la Méditerranée jusqu'au Portugal, puis les Açores, et New York.

Je prévois y faire les photos qui me permettront peut-être de concocter le deuxième tome de mes récits de voyage ! (Un message subtil à mon éditeur.)

Quand je me serai rassasié des tours de Terre, j'aurai toujours à cœur les navettes Montréal-Paris. Dans la Ville-lumière, je vis un renouvellement continuel, même si Paris me déçoit énormément par son américanisation. Autrement, qui sait, peut-être ferai-je comme nombre de Québécois aux prises avec les rhumatismes et irai-je me réfugier en Floride quelques mois par année. ☉ Vous savez, voyager est fantastique. Voyager m'a permis de m'ouvrir au monde, de mieux comprendre certains phénomènes, de moins parler à travers mon chapeau. J'ai été chanceux. J'ai pu faire ce que nombre de gens n'ont pas fait. Peut-être vais-je un jour me mettre à radoter, à raconter mes souvenirs comme ces vieux qui ne parlent que du passé ? Pour le moment, je suis tranquille, je dois être encore jeune malgré mon essoufflement, car je parle assez peu du passé. Je conjugue naturellement au futur. ☉ C'est probablement que j'ai la force de voyager encore. ☉

Je repars de ce pas !

Gilles Proulx

25 SEPTEMBRE 1997